Workbook
Intrigue

Langue, culture et mystère
dans le monde francophone

Elizabeth Blood
Salem State College

Yasmina Mobarek
The Johns Hopkins University

PEARSON

Prentice
Hall

Upper Saddle River, New Jersey 07458

Publisher: Phil Miller
Assistant Director of Production: Mary Rottino
Editorial/Production Supervision: Nancy Stevenson
Executive Marketing Manager: Eileen Bernadette Moran
Publishing Coordinator: Claudia Fernandes
Assistant Editor: Meriel Martínez Moctezuma
Assistant Manager, Prepress and Manufacturing: Mary Ann Gloriande
Prepress and Manufacturing Buyer: Christina Helder
Full-service Project Management: Emilcomp/Preparé

This book was set in 10/12 Palatino typeface by Emilcomp/Preparé and was printed and bound by Bradford & Bigelow. The cover was printed by Coral Graphics Services.

PEARSON
Prentice
Hall

© 2004 by Pearson Education, Inc.,
Upper Saddle River, New Jersey 07458

Printed in the United States of America
10 9 8 7 6 5 4 3 2 1

ISBN 0-13-061859-4

Pearson Education LTD., *London*
Pearson Education Australia PTY, Limited, *Sydney*
Pearson Education Singapore, Pte. Ltd.
Pearson Education North Asia Ltd. *Hong Kong*
Pearson Education Canada, Ltd. *Toronto*
Pearson Educación de Mexico, S.A. de C.V.
Pearson Education—Japan *Tokyo*
Pearson Education Malaysia, Pte. Ltd.
Pearson Education *Upper Saddle River*, New Jersey

Table des matières

1 Un séjour en Louisiane

■ **Activités orales**

1-1. Comment dire : les rencontres (salutations et présentations)

Vous êtes à la Nouvelle-Orléans, rue Bourbon, où vous rencontrez Claire Plouffe pour la première fois. Elle a l'air un peu perdue. Écoutez ce qu'elle vous dit et choisissez une réponse polie et logique. Prononcez votre réponse à haute voix et puis répétez la bonne réponse (avec enthousiasme et en faisant attention à votre prononciation) après le narrateur.

Modèle : Claire : «Bonjour.»

> **Vous dites** : «Bonjour, madame.»
>
> Vous entendez : «Bonjour, madame.»
>
> **Vous répétez** : «Bonjour, madame.»

1. a. Bonsoir.
   c. Quelle surprise !

   b. Ça va, merci.
   d. Bonjour, madame.

2. a. Ça va. Et toi ?
   c. Très bien, merci. Et vous ?

   b. Ils vont bien.
   d. Pas mal. Et toi ?

3. a. Quoi de neuf ?
   c. On se tutoie ?

   b. Je pense qu'il va pleuvoir.
   d. Excusez-moi.

4. a. Salut, Claire.
   c. On s'est déjà rencontré.

   b. Tu vas bien ?
   d. Je m'appelle… *(votre nom)*

5. a. Qu'est-ce qui se passe ?
   c. Pas mal. Et toi ?

   b. Quelle chaleur !
   d. Je suis de… *(votre ville)*

6. a. Eh… je ne sais pas.
   c. Permettez-moi de me présenter.

   b. Je n'ai pas d'argent.
   d. À la prochaine !

7. a. C'est un plaisir de vous rencontrer.
   c. On se connaît, non ?

   b. Salut, Philippe.
   d. Ciao !

8. a. Au revoir, madame.
   c. À ce soir.

   b. Salut !
   d. Enchanté(e) !

1-2. Comment dire : les rencontres (suite)

Quelques jours plus tard, vous revoyez Claire Plouffe dans un club de jazz du Vieux Carré. Écoutez ce qu'elle vous dit et choisissez une réponse polie et logique. Prononcez votre réponse à haute voix et puis répétez la bonne réponse (avec enthousiasme et en faisant attention à votre prononciation) après le narrateur.

Modèle : Claire : «Excusez-moi. Avez-vous l'heure ?»

Vous dites : «Il est neuf heures du soir.»

Vous entendez : «Il est neuf heures du soir.»

Vous répétez : «Il est neuf heures du soir.»

1. a. Il est neuf heures du soir.   b. Je ne veux pas savoir l'heure !

   c. Quelquefois.   d. Moi aussi !

2. a. Toi, encore !   b. Merci beaucoup.

   c. À la prochaine.   d. Quelle coïncidence !

3. a. Peut-être.   b. Oui, on s'est déjà rencontré.

   c. On se tutoie ?   d. Non, vous vous trompez.

4. a. Au revoir à vous aussi.   b. Ça me fait plaisir de vous revoir aussi.

   c. Je déteste le jazz.   d. Tu as une bonne mémoire.

5. a. Non, très rarement.   b. Oui, je suis étudiant.

   c. C'est bizarre, non ?   d. Quelle surprise !

6. a. De temps en temps.   b. C'est pas possible !

   c. Vraiment ? Moi aussi !   d. Que faites-vous ici ?

7. a. Non, jamais ! Richard.   b. Non ! Mais, moi aussi, j'aime Zachary

   c. Oui, toujours !   d. Tiens ! C'est vous !

8. a. En effet !   b. Quelle coiffure intéressante !

   c. Normalement.   d. Enchanté(e) !

1-3.   Comment dire : écrire une lettre (dictée)

Voici un paragraphe d'une lettre que Henri Hébert, homme d'affaires louisianais, écrit à un ami. Vous allez entendre ce texte trois fois. La première fois, écoutez attentivement. La deuxième fois, le paragraphe sera lu plus lentement. En écoutant, écrivez chaque phrase exactement comme vous l'entendez. La troisième fois, écoutez encore en relisant ce que vous avez écrit pour vérifier votre transcription.

■ Activités écrites

1-4. Vocabulaire : les voyages

Philippe Aucoin trouve un bout de papier par terre dans la cour de l'hôtel. Il le lit. C'est un résumé du premier jour de Claire à la Nouvelle-Orléans. Choisissez le meilleur mot de **vocabulaire** *ou la meilleure expression pour remplir les blancs.*

1. 11h30 : Elle quitte le Québec sur Air Canada, _____ 322.
   a. taxi   b. vol   c. voyage   d. avion

2. 14h00 : L'avion arrive à l'_____ de la Nouvelle-Orléans.
   a. hôtelier   b. aéroport   c. entrée   d. état

3. 14h15 : Elle cherche ses bagages—une _____ et un sac à dos.
   a. bagage   b. sac à main   c. portefeuille   d. valise

4. 14h20 : Elle prend _____ pour aller en ville.
   a. un taxi   b. un avion   c. un voyage   d. un guide

5. 14h55 : Elle arrive à l'hôtel et demande sa clé à _____.
   a. l'escalier   b. l'ascenseur   c. la réception   d. la cour

6. 15h05 : Elle paie avec _____.
   a. son portefeuille   b. le fer forgé   c. sa carte de crédit   d. le temps

7. 15h20 : Elle monte _____.
   a. la chambre   b. la cour   c. l'escalier   d. les espèces

8. 17h15 : Elle _____ dans le Vieux Carré.
   a. se lève   b. s'appelle   c. se présente   d. se promène

9. 17h45 : Elle achète un sandwich dans un _____.
   a. balcon   b. foyer   c. restaurant   d. costume

10. 18h15 : Elle _____ la cathédrale Saint Louis à Jackson Square.
    a. reste   b. visite   c. réserve   d. sourit

11. 19h00 : Elle prend un verre de champagne dans _____ de l'hôtel.
    a. l'ascenseur   b. l'escalier   c. la réception   d. la cour

12. 20h00 : Elle retourne à sa chambre et s'assied dehors (*outside*) sur _____.
    a. l'ascenseur   b. le balcon   c. la salle d'exercices   d. la chaleur

1-5. Structures : les articles définis et indéfinis

*Philippe Aucoin veut retourner le papier à son propriétaire. Il monte à la chambre de Claire et frappe à la porte. Remplissez les blancs avec un **article défini** ou **indéfini** ou **de**.*

«Bonsoir, madame. Excusez-moi de vous déranger, mais j'ai trouvé _____

papier qui est à vous, je crois. J'étais en train de nettoyer _____ cour après

_____ heure du champagne, et _____ papier était par terre.

—Mais, vous vous trompez. Je n'avais pas _____ papier avec moi.

Est-ce que je peux regarder _____ papier que vous avez trouvé ?

—Bien sûr.

—Tiens ! C'est _____ liste (*f.*)… mais ce n'est pas vrai ! Il s'agit de moi ?

—Oui, Madame… ce n'est pas à vous ?

—Non, et c'est très suspect. Il y avait beaucoup _____ clients

dans _____ cour ce soir ?

—Non, pas vraiment… il y avait vous-même, _____ homme d'af-

faires de Lafayette, _____ femme de New York, _____

touristes allemands, et Monsieur Royer. C'est tout.

—C'est bien bizarre. Il n'y avait personne d'autre ?

—Seulement _____ femme de ménage et… oui, il y avait

_____ autre personne que je ne connaissais pas. Je croyais que c'était

_____ ami de la femme de New York, mais…

—Mais, c'est bizarre, non ? Il y a quelqu'un qui me suit ?

—C'est peut-être _____ admirateur ? J'adore

_____ histoires d'amour. Et, après toutes ces années comme

hôtelier dans cette ville, je peux vous raconter _____ histoires ! surtout

_____ belles histoires !

—_____ histoire d'amour ? J'en doute. Je pense qu'

_____ autre personne veut trouver _____

manuscrit de Laclos avant moi… !»

1-6. Structures : la négation

*Quelques jours plus tard, Claire se trouve à l'heure du champagne avec Henri Hébert, l'homme d'affaires de Lafayette. Au moment où Henri commence à lui parler, son téléphone portable sonne. C'est un collègue qui téléphone du bureau à Lafayette où tous les employés attendent un client important. Claire écoute une partie de la conversation et imagine les réponses de l'interlocuteur. Mettez les réponses à la forme **négative** et variez vos expressions.*

HENRI :   Le client est *déjà* au bureau ?

RÉPONSE :   Non, _____.

HENRI :   Ah, bon. Alors, il est *toujours* chez lui ?

RÉPONSE :   Non, _____.

HENRI :   Il est probablement en route. Est-ce que ce client est *toujours* en retard ?

RÉPONSE :   Non, _____.

HENRI :   Donc, *tout le monde* attend son arrivée ?

RÉPONSE :   Non, _____.

HENRI :   Vraiment ? Ils ont *beaucoup de choses* à faire ailleurs (*elsewhere*) ?

RÉPONSE :   Non, _____.

HENRI :   Vraiment ! Mais… Ils vont bientôt arriver ?

RÉPONSE :   Non, _____.

HENRI :   Mais, vous êtes là. Vous avez *les documents* et *les affiches* ?

RÉPONSE :   Non, _____.

HENRI :   Écoutez, il faut que vous trouviez les documents et les affiches et que vous attendiez l'arrivée du client. Je parlerai aux autres jeudi quand je serai de retour à Lafayette !

1-7. Structures : l'interrogatif

*Lorsque Monsieur Hébert parle à son collègue, Jean-Louis entre dans la cour. Claire a finalement des questions pour Jean-Louis. Transformez les phrases suivantes en **questions**, en employant la technique indiquée. Ensuite, imaginez les réponses de Jean-Louis.*

1. Tu t'habilles souvent en costume. (inversion) _____

   _____

2. Tu travailles dans un bar. (n'est-ce pas ?) _____

   _____

3. On porte un costume quand on travaille dans un bar. (est-ce que) _____

   _____

4. Tu me dis la vérité. (intonation) _____

   _____

5. Tu n'aimes pas les romans policiers. (inversion) _____

   _____

6. La littérature française ne t'intéresse pas. (intonation) _____

   _____

7. Les Français sont tous si malins (*cunning*). (est-ce que) _____

   _____

8. Tu me suis partout où je vais. (inversion) _____

   _____

9. Tu ne veux pas le manuscrit de Laclos. (inversion) _____

   _____

1-8. Structures : l'infinitif et le présent

(a) *Claire s'excuse pour aller aux toilettes. Elle est un peu embarrassée d'avoir accusé Jean-Louis d'avoir menti (to have lied). Pendant son absence, Jean-Louis parle avec une femme de New York. Dans les phrases suivantes, utilisez* **l'infinitif** *ou conjuguez le verbe entre parenthèses au* **présent** *si nécessaire.*

1. Que (penser) _____-vous de la Nouvelle-Orléans ?

2. Aimez-vous (manger) _____ des plats épicés ?

3. Il (faire) _____ très chaud, n'est-ce pas ?

4. Il faut (aller) _____ au restaurant Lafitte.

5. Je (pouvoir) _____ vous (montrer) _____ où il est.

6. (Détester)_____-vous (danser) _____ ?

7. Je voudrais vous (emmener) _____ à un fais do do.

8. (Rester) _____ dans un hôtel de luxe (coûter) _____ trop cher.

9. J'(adorer) _____ (dormir) _____ tard.

10. Nous nous (lever) _____ à 9h du matin.

(b) *Le même soir, Claire revoit Henri Hébert dans la grande salle. Il s'excuse d'avoir quitté l'heure du champagne quand son collègue a téléphoné, et il commence à parler de sa vie et de son travail. Conjuguez les verbes entre parenthèses au* **présent**.

Moi, j'(habiter) _____ la ville de Lafayette, et je (travailler) _____ dans les affaires. Tous les jours, ma femme et moi, nous (prendre) _____ le petit déjeuner ensemble et nous (regarder) _____ les actualités à la télé. J'(arriver) _____ au bureau vers 8h, mais mes collègues (arriver) _____ plutôt vers 9h. Nous (vendre) _____ des produits alimentaires cajuns aux restaurateurs partout dans le monde. Pendant la journée, je (parler) _____ au téléphone, j'(envoyer) _____ des fax, et mes collègues et moi, nous (se réunir) _____ pour discuter de notre stratégie de marketing. Nous (manger) _____ vers 1h et puis nous (recommencer) _____ le travail vers 2h. Mes collègues (finir) _____ leur travail vers 5h du soir, mais moi, je (continuer) _____ jusqu'à 6h ou 7h. Notre compagnie (réussir) _____ à fournir beaucoup de restaurants du monde avec des produits acadiens authentiques. Ils (acheter) _____ de bons produits, et nous (offrir) _____ une qualité exceptionnelle. J'(espérer) _____ continuer à travailler longtemps. J'(adorer) _____ mon travail !

(c) *Henri continue de décrire sa vie quotidienne. Conjuguez les verbes entre parenthèses au* **présent**.

Je (s'entendre) _____ bien avec mes collègues, mais je (préférer)

_____ passer le temps avec ma femme. Elle (s'appeler) _____

Carole et elle (enseigner) _____ dans une école primaire bilingue à

Lafayette. Normalement, elle (se rendre) _____ à mon bureau vers 6h ou 7h

du soir, et nous (se promener) _____ ensemble jusqu'à la maison. Pendant

nos promenades, nous (se parler) _____ et nous (se détendre)

_____. Le soir, nous (préparer) _____ le dîner ensemble et

nous (écouter) _____ de la musique. D'habitude, je (se coucher)

_____ vers 11h, mais avant ça, je (se laver) _____, je (se bros-

ser) _____ les dents, et je (se reposer) _____ avec un verre

de lait chaud. C'est vraiment une vie tranquille.

(d) *Claire retourne à sa chambre et découvre un courrier de sa sœur. Marie répond toujours aux courriers de sa sœur. Choisissez un des verbes donnés et conjuguez ce verbe au* **présent** *pour remplir les blancs. Chaque verbe ne peut être utilisé qu'une seule fois.*

se reposer, finir, se rappeler, nager, jouer, se lever, préférer, descendre

Chère Claire,

Salut de Saint Félix de Valois ! Tout va bien ici à la campagne. Papa _____

à 5h du matin, comme d'habitude, mais maman et moi, nous _____ dormir plus

tard. Après le petit déjeuner, nous _____ la colline (*hill*) pour aller au lac. Nous

_____ dans l'eau et nous _____ sur la petite plage toute la jour-

née. Est-ce que tu _____ le jour où nous avons construit notre fort ? Eh bien, il est

toujours intact. Les enfants des voisins _____ dans ce fort souvent. Quelle dif-

férence entre la campagne québécoise et la Nouvelle-Orléans ! Amuse-toi dans les marécages,

mais fais attention à ce type (*guy*), Jean-Louis. Tu fais toujours trop confiance aux inconnus. Tu

es très intelligente, mais parfois un peu bête aussi. À propos, félicitations pour la bourse ! Si tu

_____ ton travail de recherche cette semaine, est-ce que tu reviendras

ici pour la fin des vacances ? Tu nous manques beaucoup !

Bisous, Marie

1-9. Vous rappelez-vous ? les verbes irréguliers au présent

Le matin, au petit déjeuner, Jean-Louis pose encore des questions à Claire à propos de son projet de recherche. Choisissez parmi les verbes suivants et remplissez les blancs en conjuguant le verbe au **présent**. *Vous allez utiliser quelques verbes plus d'une fois.*

être, avoir, aller, faire, vouloir, pouvoir

JEAN-LOUIS : Alors, si tu trouves le manuscrit, est-ce que tu _____ essayer de l'acheter ?

CLAIRE : Si possible, mais je ne _____ pas garder le manuscrit pour moi. Je _____ l'étudier et puis en faire don (*donate it*) à la bibliothèque municipale de la Nouvelle-Orléans.

JEAN-LOUIS : Vraiment ? Tu _____ généreuse ! Alors, tu ne _____ pas vendre le manuscrit à un collecteur de livres anciens et gagner beaucoup d'argent ?

CLAIRE : Non ! Moi, j'_____ des principes. Je ne _____ pas profiter d'un livre qui ne m'appartient pas.

JEAN-LOUIS : Tu _____ raison. Les gens, en général, sont trop préoccupés par l'argent aujourd'hui.

CLAIRE : Je sais… c'_____ pour cette raison que je _____ des études littéraires au lieu de travailler dans les affaires. Je _____ idéaliste. Je _____ passer ma vie à discuter des idées, non pas devenir riche.

JEAN-LOUIS : Je comprends… mais on ne _____ pas vivre sans argent, et les hommes d'affaires ne _____ pas tous avares (*greedy*) et corrompus !

CLAIRE : Qu'en sais-tu ?

JEAN-LOUIS : Rien… enfin… c'est–à–dire qu'il y a beaucoup d'hommes d'affaires qui fréquentent le bar où je travaille et ils sont généralement sympathiques.

1-10. Culture : quiz culturel

Que savez-vous déjà ? Répondez aux questions suivantes.

1. Les «cajuns» sont… ?

   a. les descendants des immigrés parisiens   b. les descendants d'immigrés acadiens

   c. des gens qui habitent la Nouvelle-Orléans   d. des gens qui habitent la Nouvelle-Écosse

2. Dans les marécages, on trouve… ?

   a. des alligators   b. des bars

   c. des bouquins   d. des paroisses

3. Si on va à un «fais do do», qu'est-ce qu'on ne peut pas faire ?

   a. dormir   b. danser

   c. regarder la télé   d. écouter du zydeco

4. Dans l'Hôtel Le Moyne, qu'est-ce qu'on ne peut pas trouver ?

   a. une piscine   b. une chambre climatisée

   c. un ascenseur   d. des balcons

5. Dans la chambre de Claire, qu'est-ce qu'on ne peut pas trouver ?

   a. un sac à dos   b. un ordinateur

   c. un roman de science-fiction   d. un permis de conduire

6. Zachary Richard est un chanteur de quel type de musique ?

   a. musique cajun et créole   b. musique populaire française

   c. jazz   d. musique classique

7. Le Vieux Carré est… ?

   a. le quartier cajun   b. l'ancien quartier français

   c. le quartier du marché   d. le quartier des étudiants de l'université de Tulane

8. On trouve du fer forgé où ?

   a. dans les bars de la rue Bourbon   b. aux balcons du Vieux Carré

   c. dans les salles climatisées   d. à la bibliothèque municipale

9. Les Français ont fondé la ville de la Nouvelle-Orléans en quelle année ?

   a. 1803

   b. 1789

   c. 1755

   d. 1718

10. Laclos est l'auteur de quel type de roman ?

    a. un roman d'épouvante (*horror*)

    b. un roman policier

    c. un roman de science-fiction

    d. un roman épistolaire

11. La culture en Louisiane du sud a été influencée par les Français, mais aussi par… ?

    a. les Espagnols

    b. les Africains

    c. les Acadiens

    d. toutes ces cultures

12. Normalement, quand les gens francophones se rencontrent pour la première fois, ils… ?

    a. se tutoient

    b. se vouvoient

    c. s'excusent

    d. s'ennuient

13. À l'heure du petit-déjeuner dans un restaurant créole, on prend souvent… ?

    a. des beignets

    b. de la mousse au chocolat

    c. du champagne

    d. des po'boys aux huîtres frites

14. Au Québec, au lieu de dire «une voiture», on dit… ?

    a. un bus

    b. un char

    c. un camion

    d. un taxi

15. La Louisiane a été nommée en l'honneur de… ?

    a. Louis XVI, l'époux de Marie Antoinette

    b. Louis XIV, le roi soleil

    c. Lewis et Clark

    d. Saint Louis, Missouri

1-11. Culture : comparaisons

Imaginez une journée typique dans la vie d'un hôtelier, comme Philippe Aucoin, qui habite le Vieux Carré à la Nouvelle-Orléans. Ensuite, écrivez quelques phrases pour comparer votre vie quotidienne à la vie de cette personne. Quelles sont les plus grandes différences ? Quelles sont les similarités ?

_____

_____

_____

_____

_____

_____

_____

_____

_____

_____

_____

_____

_____

_____

_____

_____

1-12. Littérature : suite

Les Liaisons dangereuses de Choderlos de Laclos

Imaginez une conversation entre Valmont et Tourvel pendant qu'ils jouent aux cartes chez la vieille tante. Evidemment, Valmont fait semblant d'être dévot et parle de ses activités quotidiennes pieuses. Tourvel ne croit pas à son jeu, et elle lui pose beaucoup de questions sur sa vie à Paris. Écrivez un petit dialogue entre les deux personnages.

2 Une recette créole

■ **Activités orales**

2-1. Comment dire : les invitations

On vous invite ! Écoutez les invitations et choisissez la réponse (a) ou la réponse (b) d'après les indications données. Prononcez votre réponse à haute voix et puis répétez la bonne réponse (avec enthousiasme et en faisant attention à votre prononciation) après le narrateur.

MODÈLE : Vous entendez : «Je vous invite à dîner chez moi ce soir.» *Acceptez !*

> **Vous dites** : «J'accepte avec plaisir.»
>
> Vous entendez : «J'accepte avec plaisir.»
>
> **Vous répétez** : «J'accepte avec plaisir.»

1. *Acceptez !*   a. Je ne suis pas libre.   b. J'accepte avec plaisir.

2. *Acceptez !*   a. Je ne peux pas.   b. D'accord.

3. *Refusez.*   a. Merci, j'aimerais bien y aller.   b. Je voudrais bien, mais je ne peux pas me libérer.

4. *Refusez.*   a. Pas question !   b. Pourquoi pas !

5. *Acceptez !*   a. Bien sûr !   b. Zut ! Je ne suis pas libre ce weekend.

6. *Refusez.*   a. J'aimerais bien y aller demain.   b. C'est très gentil, mais un autre jour peut-être ?

2-2. Comment dire : dîner au restaurant

Vous êtes dans un restaurant à la Nouvelle-Orléans, et vous posez des questions au serveur. Posez votre question à haute voix et puis répétez la version de la question que nous vous suggérons (avec enthousiasme et en faisant attention à votre prononciation) après le narrateur.

MODÈLE : Vous voulez savoir où se trouvent les toilettes.

> **Vous demandez :** «Où sont les toilettes ?»
>
> Vous entendez : «Où sont les toilettes, s'il vous plaît ?»
>
> **Vous répétez :** «Où sont les toilettes, s'il vous plaît ?»

1. Vous voulez savoir où se trouvent les toilettes.

2. Vous voulez encore du pain.

3. Vous voulez savoir les ingrédients qui figurent dans l'étouffée.

4. Vous voulez une carafe d'eau pour la table.

5. Vous voulez savoir si le poulet est grillé ou frit.

6. Vous voulez savoir quels desserts on offre ce soir.

7. Vous voulez payer.

8. Vous voulez savoir si le service est compris.

2-3. Comment dire : demander et donner une opinion

Vous demandez l'opinion d'une personne francophone que vous venez de rencontrer en Louisiane. Répétez les questions à haute voix, après le narrateur. Ensuite, écoutez l'opinion de cette personne et indiquez si cette personne vous encourage ou vous avertit.

MODÈLE : Vous entendez : «Que pensez-vous des marécages ?»

Vous répétez : «Que pensez-vous des marécages ?»

Vous entendez : «Il est dangereux d'y aller. Méfiez-vous des alligators !»

Vous marquez : _____*x*_____ avertissement

1. _____ encouragement   _____ avertissement

2. _____ encouragement   _____ avertissement

3. _____ encouragement   _____ avertissement

4. _____ encouragement   _____ avertissement

5. _____ encouragement   _____ avertissement

2-4. Comment dire : parler du passé (dictée)

Voici un paragraphe tiré d'une lettre que Henri Hébert, un homme d'affaires louisianais, écrit à un ami. Vous allez entendre ce texte trois fois. La première fois, écoutez attentivement. La deuxième fois, le paragraphe sera lu plus lentement. En écoutant, écrivez chaque phrase exactement comme vous l'entendez. La troisième fois, écoutez encore en relisant ce que vous avez écrit pour vérifier votre transcription.

_____

_____

_____

_____

_____

_____

_____

_____

_____

_____

_____

_____

_____

_____

2-5. Vocabulaire : la cuisine

Sandrine Fontenot-Chardin et son mari, Alexandre, dînent chez eux à la Nouvelle-Orléans quelques heures après la visite de Claire. Voici les plats que Sandrine a préparés. Faites une liste d'au moins six ingrédients nécessaires pour chaque plat. Attention à l'usage des articles et du partitif.

1. Une soupe au poulet : _____

_____

_____

2. Une salade verte : _____

_____

_____

3. Une étouffée : _____

_____

_____

4. Une tarte aux fruits des bois : _____

_____

_____

2-6. Structures : le partitif

Pendant le dîner, Sandrine et son mari bavardent. Voici leur conversation. Remplissez les blancs avec un **article défini**, *un* **article indéfini**, *ou le* **partitif de**. *Il y a parfois plus d'une réponse possible.*

SANDRINE : J'ai préparé ton plat préféré ce soir.

ALEXANDRE : Tu as fait _____ étouffée ? Quel ange !

SANDRINE : Oui, mais nous allons commencer avec _____ soupe au poulet et _____ salade verte. Je sais que tu adores _____ olives noires, alors j'ai mis _____ olives dans ta salade. Tu veux _____ pain ?

ALEXANDRE : Merci. Tu veux _____ vin ?

SANDRINE : Bien sûr.

ALEXANDRE : Tu as passé _____ bonne journée ?

SANDRINE : Oui. Enfin, quelqu'un est venu me parler des bouquins de mon grand-père. C'est _____ étudiante québécoise qui écrit sa thèse.

ALEXANDRE : Qu'est-ce que tu lui as dit ?

SANDRINE : La vérité. Elle avait l'air sympa quoiqu'un peu naïf. Tiens, voici ton étouffée. Tu veux _____ riz ?

ALEXANDRE : Oui, un peu. Est-ce que tu as préparé _____ tarte pour le dessert ?

SANDRINE : Ouais. Nous pouvons avoir _____ tarte et _____ café après le dîner. Il reste aussi _____ glace à la vanille. Il faut la finir avant de partir en vacances demain.

ALEXANDRE : Si tu insistes ! Tu me gâtes, Sandrine.

2-7. Structures : l'interrogatif

*La conversation entre Sandrine et son mari continue. Alexandre veut en savoir plus sur cette étudiante québécoise qui est venue à la maison. Imaginez les questions qu'Alexandre a posées. Utilisez une variété d'**expressions interrogatives**.*

ALEXANDRE : _____ ?

SANDRINE :   Elle s'appelait Claire Plouffe.

ALEXANDRE : _____ ?

SANDRINE :   Elle habite à Québec, mais sa famille est à Montréal.

ALEXANDRE : _____ ?

SANDRINE :   Elle est arrivée ici vers trois heures de l'après-midi.

ALEXANDRE : _____ ?

SANDRINE :   Parce qu'elle écrit sa thèse sur Laclos et elle savait qu'il existait un rapport entre Laclos et François Fontenot, un de mes ancêtres.

ALEXANDRE : _____ ?

SANDRINE :   Laclos ? C'est un auteur du 18ème siècle.

ALEXANDRE : _____ ?

SANDRINE :   Il a écrit *Les Liaisons dangereuses*. C'est un roman assez connu.

ALEXANDRE : _____ ?

SANDRINE :   Elle a trouvé mon nom dans un livre de généalogie à la Bibliothèque Municipale, avec l'aide des bibliothécaires, je crois.

ALEXANDRE : _____ ?

SANDRINE :   Nous avons parlé de la vente des livres au bouquiniste parisien, et aussi de la cuisine créole.

2-8. Structures : le passé composé et l'imparfait

(a) *Puisqu'ils partent en vacances demain, Sandrine et Alexandre commencent à parler de leurs vacances de l'année dernière quand ils ont rendu visite à des parents à Haïti. Formez des phrases avec les éléments donnés en utilisant* **le passé composé**.

1. nous/prendre/l'avion à Port-au-Prince

   _____

2. tes cousins/venir/nous chercher à l'aéroport

   _____

3. tu/apporter/beaucoup de cadeaux pour les enfants

   _____

4. Philippe/ne... pas/aimer les vêtements

   _____

5. je/s'endormir/très tôt la première nuit

   _____

6. vous/boire/et parler/jusqu'à deux heures du matin

   _____

7. le lendemain/les enfants et moi/se lever/de bonne heure

   _____

8. les enfants/sortir/avant de manger

   _____

9. je/les/accompagner au parc

   _____

10. tout le monde/s'amuser/à raconter des histoires

    _____

(b) *Sandrine se souvient bien de ce séjour chez ses cousins. Elle décrit ce séjour chez des cousins qu'elle ne connaissait pas très bien. Conjuguez les verbes à l'**imparfait**.*

1. il/faire/très chaud

   _____

2. mes cousins/être/très accueillants

   _____

3. nous/vouloir/connaître nos parents

   _____

4. Ma cousine Sachielle/ne... pas/travailler à cette époque

   _____

5. elle/avoir/trois enfants à la maison

   _____

6. le plus jeune/ne... pas encore/aller/à l'école

   _____

7. les enfants/s'intéresser/à la culture américaine

   _____

8. ils/écouter/de la musique américaine tout le temps

   _____

9. nous/parler/souvent de la Louisiane

   _____

10. tu/vouloir/rester encore une semaine

   _____

(c) *Pensez à un voyage que vous avez fait récemment et ensuite répondez aux questions suivantes. Utilisez* **le passé composé** *(PC) ou* **l'imparfait** *(I), selon les indications.*

1. Où êtes-vous allé(e) ? (PC)

   _____

2. Avec qui avez-vous voyagé ? (PC)

   _____

3. Est-ce que vous étiez content(e) de partir en voyage ou vouliez-vous rester chez vous ? (I)

   _____

4. Comment est-ce que vous êtes arrivé(e) à votre destination ? (PC)

   _____

5. Quel temps a-t-il fait pendant votre séjour ? (PC)

   _____

6. Qu'est-ce que vous avez fait d'intéressant ? (PC)

   _____

7. Comment était la nourriture ? (I)

   _____

8. Avez-vous fait de nouvelles connaissances ? (PC)

   _____

9. Vous êtes-vous amusé(e) ou ennuyé(e) pendant ce séjour ? (PC)

   _____

10. Le jour du départ, aviez-vous envie de rester ou étiez-vous prêt(e) à rentrer chez vous ? (I)

    _____

2-9. Vous rappelez-vous ? les verbes irréguliers au présent

*En prenant leur dessert, Sandrine et Alexandre continuent à parler de la visite de Claire. Choisissez parmi les verbes suivants et remplissez les blancs en conjuguant le verbe au **présent**. Vous allez utiliser quelques verbes plus d'une fois.*

croire, boire, recevoir, devoir, voir

SANDRINE : Est-ce que tu _____ que Monsieur Gustave, le bouquiniste qui a acheté les livres de mon grand-père, travaille toujours à Paris ?

ALEXANDRE : S'il vit encore, il _____ être assez âgé. Je doute qu'il travaille encore.

SANDRINE : Il avait à peine 18 ans quand mon père l'a rencontré à Paris. Je _____ que mon père _____ des lettres de lui de temps en temps, mais je ne _____ pas comment il serait possible que ce monsieur ait toujours le manuscrit. Il ne savait même pas que ce manuscrit comptait parmi les livres qu'on lui avait vendus.

ALEXANDRE : Et toi et tes parents, vous _____ vraiment que ce manuscrit est un chef–d'œuvre perdu ? Vous ne _____ pas que ce soit un peu invraisemblable ?

SANDRINE : Mes parents le _____ bien, et moi aussi. Enfin, on verra… Tu ne _____ pas ton café ?

ALEXANDRE : Si, si. Mais nous _____ du décaféiné, n'est-ce pas ? Nous _____ nous lever très tôt demain matin afin de ne pas manquer notre vol. Je veux pouvoir m'endormir ce soir.

SANDRINE : C'est bien du décaf, mais à propos du voyage, je _____ faire mes valises. Je vais vite faire la vaisselle avant.

ALEXANDRE : Non, c'est à moi de faire la vaisselle ce soir.

SANDRINE : C'est pas grave. Reste là et finis ton café. Tu pourras sortir la poubelle plus tard.

2-10. Culture : quiz culturel

Que savez-vous déjà ? Répondez aux questions suivantes.

1. Haïti est un pays francophone situé…

   a. sur le golfe du Mexique
   b. sur l'océan Pacifique
   c. sur la mer Méditerranée
   d. sur la mer des Caraïbes

2. Les Français ont occupé cette île… ?

   a. de 1697 à 1804
   b. de 1789 à 1917
   c. de 1917 à 1934
   d. de 1934 à 1960

3. Le nom que les Français ont donné à cette île était… ?

   a. la République Dominicaine
   b. Saint-Domingue
   c. la Jamaïque
   d. Saint-Barthes

4. À Haïti, un des plats traditionnels est… ?

   a. la tourtière
   b. les bananes des Antilles
   c. les pets-de-nonne
   d. la fondue

5. Si vous ne comprenez pas des directions, quelle est l'expression à ne pas utiliser ?

   a. Excusez-moi ?
   b. Comment ?
   c. Qui est-ce ?
   d. Qu'est-ce que vous venez de dire ?

6. Où trouve-t-on des pratiquants de la religion vaudoue ?

   a. aux États-Unis
   b. aux Antilles
   c. en Afrique
   d. dans tous ces lieux

7. Qu'est-ce que François Fontenot a fait comme travail après avoir immigré à la Nouvelle-Orléans ?

   a. bouquiniste
   b. restaurateur
   c. soldat
   d. professeur

8. Où est-ce que Jean-Louis Royer est né ?

   a. à Paris
   b. à Annecy
   c. à Genève
   d. à Québec

9. Lequel n'est pas un fruit de mer ?

    a. le canard   b. les moules

    c. les écrevisses   d. les huîtres

10. Quel plat est fait de viande hâchée, de tomates, d'oignons, de cornichons (*pickles*), de petits pains et de condiments ?

    a. une ratatouille   b. une tourtière

    c. une étouffée   d. aucun de ces plats

11. Si on est végétarien, on ne mange pas… ?

    a. d'aubergines   b. de mangues

    c. de riz   d. de veau

12. Que veut dire l'expression «Lâche pas la patate» ?

    a. Méfiez-vous des inconnus   b. N'oubliez pas de manger

    c. Soyez gentil(le)   d. Il faut persévérer

13. Pour refuser une invitation, on peut dire… ?

    a. J'insiste !   b. Pourquoi pas !

    c. Je suis pris(e) !   d. Allons-y !

14. François Fontenot est arrivé à la Nouvelle-Orléans le 14 juillet. Le 15 juillet c'était… ?

    a. le surlendemain   b. la veille

    c. le lendemain   d. l'avant-veille

15. Faire cuire lentement à feu doux (*on low heat*) signifie… ?

    a. mijoter   b. faire sauter

    c. bouillir   d. brûler

2-11. Culture : comparaisons

Pensez aux repas que vous prenez souvent chez vous. Ensuite, imaginez un repas typique dans une maison créole en Louisiane. Finalement, écrivez quelques paragraphes en faisant des comparaisons entre votre repas typique et un repas typique louisianais. Quelles sont les plus grandes différences ? Pourquoi ces différences existent-elles ?

_____

_____

_____

_____

_____

_____

_____

_____

_____

_____

_____

_____

_____

_____

_____

_____

2-12. Littérature : suite

À la recherche du temps perdu de Marcel Proust

Imaginez que vous êtes chez le narrateur du texte de Proust au moment où il prend son thé. Avez-vous des questions à lui poser à propos de son enfance ? Voulez-vous l'encourager à se rappeler toute l'histoire ? Écrivez un petit dialogue où vous lui posez des questions sur son passé et vous l'encouragez à vous parler de sa jeunesse. Imaginez ses réponses.

3 En vogue à Paris

■ **Activités orales**

3-1. Comment dire : décrire les vêtements et les affaires personnelles

Vous êtes à Paris où vous faites du shopping dans les grands magasins du boulevard Haussmann. Vous écoutez des gens qui eux aussi font du shopping. Répétez à haute voix la phrase que vous entendez (avec enthousiasme et en faisant attention à votre prononciation) et ensuite écrivez ce que chaque personne cherche.

MODÈLE : Vous entendez : «Sylvie a besoin d'un nouveau maillot de bain.»

Vous répétez : «Sylvie a besoin d'un nouveau maillot de bain.»

Vous écrivez : Sylvie : _____*maillot de bain*_____

1. Hervé : _____

2. Armelle et Leila : _____

3. Rachid et moi : _____

4. Toi et Jacques : _____

5. Djenann : _____

6. Émilie : _____

7. Tran et Linh : _____

8. Gilles : _____

3-2. Comment dire : décrire les objets

Toujours dans les grands magasins, vous tombez sur un client qui a mauvaise mémoire. Il oublie les noms des objets qu'il cherche. Écoutez lorsqu'il décrit chaque objet. Après avoir écouté sa description, choisissez entre les objets suggérés et dites-lui le nom de l'objet qu'il cherche. Prononcez votre choix à haute voix et puis répétez la bonne réponse (avec enthousiasme et en faisant attention à votre prononciation) après le narrateur.

Modèle : Vous entendez : «Ce sont de petits trucs ronds et plats avec des trous.»

Vous dites : «Vous cherchez des boutons.»

Vous entendez : «Vous cherchez des boutons.»

Vous répétez : «Vous cherchez des boutons.»

1. a. des assiettes   b. des boutons

2. a. un foulard   b. une chemise

3. a. un collier   b. une montre

4. a. un sac à main   b. un chapeau

5. a. des gants   b. des chaussures

6. a. un grille-pain (*toaster*)   b. une poubelle (*trash can*)

3-3. Comment dire : décrire les gens (dictée)

Voici un paragraphe de la lettre de Marie à sa sœur dans laquelle elle décrit ses nouveaux amis Benoît et Florence. Le narrateur va lire ce texte trois fois. La première fois, écoutez attentivement. La deuxième fois, le paragraphe sera lu plus lentement. En écoutant, écrivez chaque phrase exactement comme vous l'entendez. La troisième fois, écoutez encore en relisant ce que vous avez écrit pour vérifier votre transcription.

3-4. Comment dire : s'excuser et pardonner

On s'excuse ! Écoutez les excuses suivantes et choisissez la réponse (a) ou la réponse (b) pour accepter les excuses ou pour exprimer votre colère, suivant la réaction indiquée. Prononcez votre réponse à haute voix et puis répétez la bonne réponse (avec enthousiasme et en faisant attention à votre prononciation) après le narrateur.

MODÈLE : Vous entendez : «J'ai fait une bêtise. J'ai cassé ta montre. Je suis désolé.» *Acceptez les excuses !*

Vous dites : «Ne t'en fais pas !»

Vous entendez : «Ne t'en fais pas !»

Vous répétez : «Ne t'en fais pas !»

1. *Acceptez les excuses !*

   a. Ne t'en fais pas !   b. Tu n'as pas honte !

2. *Non ! Vous êtes en colère.*

   a. Tu as eu tort !   b. Il n'y a pas de quoi !

3. *Non ! Vous êtes en colère.*

   a. N'y pensez plus !   b. Il est trop tard pour vous excuser !

4. *Acceptez les excuses !*

   a. Quel prétentieux !   b. Ce n'est pas si grave que ça !

5. *Acceptez les excuses !*

   a. Je te pardonne.   b. Je t'en veux, tu sais.

6. *Non ! Vous êtes en colère.*

   a. Ne vous en faites pas !   b. Vous n'avez pas honte ?

3-5. Vocabulaire : décrire les gens, les vêtements et les objets

Vous êtes à Paris où vous voyez beaucoup de gens différents. Vous remarquez la diversité ethnique des Parisiens. Décrivez les gens suivants en imaginant leurs traits physiques (évitez les stéréotypes !), les vêtements qu'ils portent au travail (n'oubliez pas d'indiquer la couleur de leurs vêtements), et les objets qu'on associe à leur profession. Si vous ne connaissez pas les mots pour les objets ou les types de vêtements, décrivez-les en employant des adjectifs !

1. un agent de police devant le Louvre

2. une serveuse dans un restaurant

3. un médecin à l'hôpital

4. une femme d'affaires dans le métro

5. une caissière dans une boulangerie

6. un étudiant qui se détend dans le jardin du Luxembourg

7. une artiste à Montmartre

8. un musicien dans un club de jazz

3-6. Structures : les adjectifs descriptifs

François Phan, le témoin qui avait aidé les policiers à l'aéroport, est rentré chez lui. Il habite une maison dans le 4ème arrondissement de Paris. Là, il montre des photos de son voyage à Hô Chi Minh-Ville (autrefois la ville de Saïgon) à sa femme et à ses enfants. Récrivez les phrases en ajoutant les adjectifs donnés afin de modifier le nom en caractères gras. N'oubliez pas de faire l'accord et de bien placer l'adjectif !

1. Voici **la maison** de mes grand-parents. (nouveau, joli)

   _____

2. Devinez qui est l'homme dans **la photo**. (prochain)

   _____

3. C'est Monsieur Loc ! C'est **le propriétaire** de la maison. Il l'a vendue à mes parents. (ancien)

   _____

4. Derrière lui, on peut voir sa voiture. Il adore **cette voiture**. (français, petit)

   _____

5. Ce sont les voisines de mes grand-parents. Ce sont **des femmes**. (gentil, généreux)

   _____

6. Ah ! Voici mes photos de la ville. Vous voyez comme elle a changé ? C'est **une ville** ! (grand, urbain)

   _____

7. On y trouve beaucoup **de gens** qui veulent améliorer leur vie. (optimiste, jeune)

   _____

8. Voici **une église** construite pendant l'Occupation française. (catholique, vieux)

   _____

9. C'est une photo **des montagnes** que j'ai vues de l'avion. (beau, rocheux)

   _____

10. C'était un voyage inoubliable, mais je suis content d'être dans **ma maison**, même si tout est en désordre ici ! (petit, propre)

    _____

3-7. Structures : l'adjectif possessif et le pronom possessif

Thien, la femme de François Phan, explique que leurs enfants avaient invité leurs amis à jouer chez eux après l'école. Ils sont rentrés tous ensemble et ont laissé leurs affaires partout. Au moment de leur départ, les enfants s'amusent à dire des bêtises. Thien les corrige en indiquant le vrai propriétaire de chaque objet. Remplissez les blancs avec un adjectif possessif ou un pronom possessif qui correspond au sujet entre parenthèses.

Modèle : Hanh : Ce sont _____*mes*_____ chaussettes. (je)

Thien : Non, ce sont les chaussettes de Mai. Ce sont ____*les siennes*____. (elle)

HANH : Ce sont _____ chaussures noires, Ahmed. (tu)

THIEN : Non, ce sont les chaussures de Sachielle. Ce sont les _____. (elle)

OUSMANE : Ah, voici _____ parapluie rose ! (je)

THIEN : Non ! Ce parapluie est à moi. C'est le _____. (je)

SACHIELLE : Tiens, Mai et Kim, voilà _____ lunettes. (vous)

THIEN : Mais non ! Ces lunettes sont à toi. Ce sont les _____. (tu)

MAI : Dis donc ! C'est _____ portable ! (elle)

THIEN : Non ! Ce portable est à toi et ta sœur. C'est le _____. (vous)

AHMED : Qu'est-ce que je vois ? Ousmane, c'est _____ cassette-vidéo ! (nous)

THIEN : Allez ! Tu sais que cette vidéo est à nous. C'est la _____ ! (nous)

OUSMANE : Et ces cahiers dans la chambre de Mai et Kim ? Ce sont _____ cahiers ? (elles)

THIEN : Oui. Ce sont les _____. (elles)

3-8. Structures : le participe présent

Les enfants de la famille Phan sont très actifs et très doués mais aussi parfois assez coquins. François parle de leurs habitudes. Remplissez les blancs en employant le participe présent des verbes donnés.

FRANÇOIS : Mai fait ses devoirs en (attendre) _____ l'autobus et en

(parler) _____ au portable. Kim chante en

(prendre) _____ sa douche et en (s'habiller)

_____ le matin. Par contre, Hanh arrive à jouer ses

jeux électroniques en (écouter) _____ de la musique et en

(finir) _____ son dîner. Tous les trois adorent aller au

parc et ils y vont souvent en (se disputer) _____ et tout

en (promettre) _____ d'arrêter. Le soir, en (faire)

_____ la cuisine, ma femme et moi, nous rions en (se

souvenir) _____ de ce qu'ils ont fait pendant la journée.

3-9. Structures : l'infinitif passé

Thien descend à l'épicerie avec François qui veut savoir comment vont les affaires. Sa femme lui décrit un couple qui est venu plus tôt dans la journée leur parler d'un vol et cherchant un témoin. Tout d'un coup, François se souvient de ne pas avoir raconté l'histoire de la valise volée à sa femme. Voici ce que François a fait plus tôt dans la journée. Aidez-le à raconter sa journée en décrivant la suite des événements. Employez l'infinitif passé et le passé composé afin d'enchaîner les événements.

descendre de l'avion → arriver à la livraison des bagages enregistrés → trouver ma valise → aller aux toilettes → voir un homme qui fouillait une valise verte → réfléchir à la situation → décider d'avertir les policiers → fournir un témoignage aux policiers → partir de l'aéroport en métro → s'endormir dans le train → rater la station de correspondance → sortir du métro → prendre un taxi à la maison

MODÈLE : Après être descendu de l'avion, je suis arrivé à la livraison des bagages enregistrés.
Après être arrivé à la livraison des bagages enregistrés…

_____

_____

_____

_____

_____

_____

_____

_____

_____

_____

_____

3-10. Structures : le passé composé et l'imparfait (suite)

La famille Plouffe pense que Claire est folle de poursuivre ce manuscrit. Ses parents ont peur que ce projet de recherche soit trop compliqué et ne comprennent pas pourquoi elle fait confiance à des inconnus comme cette femme créole qui l'a poussée à aller à Paris ou ce jeune homme français qui fait semblant de vouloir l'aider. Marie essaie de calmer ses parents et se souvient d'une anecdote qui explique la personnalité de sa sœur. Conjuguez les verbes entre parenthèses au passé composé ou à l'imparfait.

MARIE : Dans une de mes lettres à Claire, je la (décrire) _____ comme intelligente mais aussi un peu bête. Vous vous souvenez de ce qu'elle (faire) _____ tout le temps quand elle (être) _____ petite. Elle (ne… pas/avoir) _____ beaucoup de jouets, mais elle (lire) _____ tout le temps. Comme elle (adorer) _____ ses livres ! Ce n'est qu'une hypothèse, mais je pense qu'à cause de ces livres, Claire (devenir) _____ quelqu'un de très intelligent et très idéaliste. Elle voit toujours le bon côté des choses et elle fait toujours beaucoup trop confiance aux autres.

Vous souvenez-vous du jour où vous lui (demander) _____ d'aller chercher du lait au supermarché ? Elle y (aller) _____ _____ le nez dans son livre. Alors, quand un vieil homme la (frôler) _____ en passant (*brushed against her*), elle (s'excuser) _____ parce qu'elle (ne… pas/comprendre) _____ que cet homme (vouloir) _____ lui piquer son argent. En effet, au moment d'arriver au supermarché, elle (se rendre compte) _____ que son porte-monnaie (ne… plus/être) _____ dans sa poche. Elle (ne… pas/pouvoir) _____ croire qu'un vieil homme ait pu faire cela, et elle (tenir) _____ à l'idée d'avoir perdu son argent quelque part. Donc, elle (passer) _____ tout l'après-midi à chercher l'argent dans la rue ! Bien sûr, elle (ne… pas/le trouver) _____ .

Mais enfin, cet incident (ne… pas/changer) _____ le caractère de Claire. Elle (rester) _____ idéaliste et confiante. Je crois que c'est cet idéalisme et cette confiance qui la poussent à poursuivre ce manuscrit, malgré les gens qu'elle rencontre en route.

3-11. Vous rappelez-vous ? les verbes irréguliers au présent

En France, Claire pense à sa famille presqu'au même moment où ils discutent de son projet de recherche. Elle parle à Jean-Louis de la vie au Québec. Choisissez parmi les verbes suivants et remplissez les blancs en conjuguant le verbe au présent. Vous pouvez utiliser quelques verbes plus d'une fois.

mettre, partir, sortir, tenir, admettre, promettre, permettre

CLAIRE : Je _____ à écrire très souvent à ma sœur et de téléphoner régulièrement à mes parents. Ma sœur a un ordinateur dans sa chambre qui lui _____ de lire et d'écrire souvent des courriers. Mes parents _____ toujours d'apprendre à l'utiliser, mais ils ne le font pas. Ils refusent d'accepter l'idée que de nouvelles technologies puissent rendre la communication plus facile. Je _____ qu'il est difficile d'apprendre à utiliser l'ordinateur. C'est beaucoup demander.

JEAN-LOUIS : Et tes parents, est-ce qu'ils _____ souvent en vacances ? J'imagine que la moitié de la population _____ en hiver à la recherche d'un climat plus doux.

CLAIRE : Au contraire ! Nous, les Québécois, nous _____ à célébrer cet aspect de notre vie. En hiver, même quand il fait froid, nous _____ dîner en ville, faire du sport ou bien nous promener. Nous _____ des pulls en laine, des chapeaux et de grands manteaux. Les vieilles dames ne _____ jamais sans leurs fourrures. Ces vêtements chauds nous _____ de rester dehors quand les températures baissent. À Montréal, où j'ai grandi, il y a pourtant un système de tunnels souterrains qui _____ aux gens d'aller d'une partie de la ville à une autre sans sortir.

JEAN-LOUIS : Tiens, mais, c'est génial ! Tu _____ de me montrer ces tunnels la prochaine fois que je visite Montréal ?

CLAIRE : C'est promis.

3-12. Recyclons ! les articles définis et indéfinis et le partitif

Pendant l'absence de sa sœur, Marie Plouffe emprunte parfois ses affaires. Un jour, elle va dans la chambre de sa sœur avec son amie. Voici ce qu'elles y trouvent. Remplissez les blancs avec **un article défini, un article indéfini,** *ou* **le partitif de.**

MARIE : Ce weekend, il y a une soirée chez Benoît et il me faut _____

jolie robe. Ma sœur a beaucoup _____ beaux vêtements et nous

sommes à peu près de la même taille. Je pense qu'elle a _____

robes dans son armoire. Voyons… il n'y a que deux robes et elles sont

moches. Mais voici _____ jupe noire. J'adore

_____ jupes classiques comme celle-ci. Et voici

_____ chemisier en soie. C'est joli, non ? Si je porte

_____ jupe noire avec _____ chemisier

en soie, est-ce que j'aurai besoin d' _____ gilet ? Je déteste

_____ gros gilets en laine. Ils ne sont pas très flatteurs. Mais,

tiens ! Claire a laissé son gilet rose en cachemire ! C'est parfait ! Alors, voyons

si nous pouvons trouver _____

bijoux et _____ parfum. Je n'ai plus _____

parfum, et _____ parfums en général coûtent très cher. Je

suis sûre que ma sœur ne m'en voudrait pas si j'utilisais le sien.

3-13. Culture : quiz culturel

Que savez-vous déjà ? Répondez aux questions suivantes.

1. Paris est… ?

   a. une île sur la Seine

   b. la capitale du Vietnam

   c. une ville multiculturelle

   d. un pays francophone

2. On appelle une partie de la rive gauche «le Quartier Latin» parce qu'on y trouve… ?

   a. des restaurants romains

   b. beaucoup d'immigrants de l'Amérique du sud

   c. des universités très anciennes

   d. des gens qui parlent encore latin

3. Chez les bouquinistes, on ne peut pas acheter… ?

   a. des livres anciens

   b. des gravures rares

   c. de vieilles affiches

   d. de beaux gilets

4. Dans un grand magasin, on ne peut pas acheter… ?

   a. des rouleaux de printemps

   b. des collants

   c. des foulards

   d. des cravates

5. Il y a combien d'arrondissements à Paris ?

   a. 20

   b. 10

   c. 19

   d. 2

6. Le Quartier Latin se trouve dans les 5ème et 6ème arrondissements. Dans quels arrondissements se trouve le Marais ?

   a. le 1er et le 2ème

   b. le 3ème et le 4ème

   c. le 7ème et le 8ème

   d. le 13ème et le 14ème

7. Si on voit quelqu'un qui porte un jean déchiré, des sandales, des lunettes de soleil et une grande chemise à rayures jaunes, rouges et vertes, on dirait que cette personne est… ?

   a. BCBG

   b. sportif

   c. baba-cool

   d. classique

8. Le Vietnam a été une colonie française de… ?

    a. 1215 à 1317   b. 1578 à 1669

    c. 1789 à 1892   d. 1857 à 1954

9. Le nom de la bataille qui a mis fin à la guerre d'Indochine était… ?

    a. la bataille de Hô Chi Minh   b. la bataille de Diên Biên Phu

    c. la bataille de Hanoï   d. la bataille de Saïgon

10. Saïgon est… ?

    a. la capitale du Vietnam   b. le nom d'un chef du parti communiste

    c. l'ancien nom de la ville de Hô Chi Minh   d. au nord du Vietnam

11. Lequel est le monument parisien le plus ancien ?

    a. la cathédrale de Notre-Dame   b. la tour Eiffel

    c. les arènes de Lutèce   d. la Pyramide du Louvre

12. Au 16ème siècle, il y a eu en France une période de grand intérêt pour les arts, pour la littérature classique et pour les nouvelles idées. On a appellé cette période… ?

    a. le Moyen Âge   b. la Renaissance

    c. le Siècle des Lumières   d. l'Époque Romantique

13. Pour s'excuser d'une faute, on ne peut pas dire… ?

    a. j'ai fait une bêtise !   b. je suis navré(e) !

    c. tu m'en veux ?   d. tu n'as pas honte ?

14. Un antiquaire passe son temps en… ?

    a. dessinant et cousant   b. achetant et vendant

    c. dansant et chantant   d. écrivant et lisant

15. L'Hôtel Quasimodo est nommé ainsi en l'honneur… ?

    a. du premier roi de France   b. d'un personnage d'un roman de Victor Hugo

    c. de l'ancienne maison de M.me de Sévigné   d. de l'amante de Pierre de Ronsard

3-14. Culture : comparaisons

Imaginez que vous êtes à Paris et que vous voulez acheter des souvenirs et des cadeaux. Faites une liste de quatre ou cinq produits que vous voulez acheter et qui sont, à votre avis, typiquement français. Ensuite, pensez à ce qu'on vend aux touristes qui viennent aux États-Unis. Faites une liste de quatre ou cinq produits que vous pensez être typiquement américains. Ensuite, comparez vos deux listes. Est-ce que les produits «français» s'achètent uniquement en France ? Et les produits «américains», peut-on les trouver ailleurs ? Sont-ils vraiment représentatifs de leur pays ? Pourquoi ou pourquoi pas ?

_____

_____

_____

_____

_____

_____

_____

_____

_____

_____

_____

_____

3-15. Littérature : suite
La Parure de Guy de Maupassant

Imaginez la suite de cette conversation entre Madame Loisel et Madame Forestier, les deux personnages principaux du texte de Maupassant. Comment est-ce qu'elles vont régler cette affaire ? Écrivez un petit dialogue.

_____

_____

_____

_____

_____

_____

_____

_____

_____

_____

_____

_____

_____

4 Une famille francophone

■ **Activités orales**

4-1. Comment dire : décrire les gens (le caractère)

Talal Lateef a une grande famille. Écoutez lorsque le narrateur, un ami de Talal, vous décrit ses parents. Répétez à haute voix la phrase descriptive que vous entendez (avec enthousiasme et en faisant attention à votre prononciation) et ensuite remplissez les blancs avec les adjectifs qui décrivent le caractère des individus mentionnés.

MODÈLE : Vous entendez : «Sa fille Karine est une jeune femme intelligente et indépendante.»

Vous répétez : —Sa fille Karine est une jeune femme intelligente et indépendante.

Vous écrivez : Sa fille : _____ *jeune, intelligente, indépendante* _____

1. Son fils :_____

2. Son frère :_____

3. Ses sœurs :_____

4. Sa femme :_____

5. Ses neveux :_____

6. Sa belle-sœur :_____

4-2. Comment dire : exprimer son désaccord et se réconcilier

Vous discutez avec une vieille dame que vous venez de rencontrer à Paris et elle exprime ses opinions à propos de la famille moderne. Écoutez les opinions et choisissez la réponse (a) ou (b) d'après les indications données. Prononcez votre réponse à haute voix et puis répétez la bonne réponse (avec enthousiasme et en faisant attention à votre prononciation) après le narrateur.

MODÈLE : Vous entendez : «La famille traditionnelle n'existe plus.» *Vous n'êtes pas d'accord !*

Vous dites : —À la rigueur, on peut dire qu'elle a changé.

Vous entendez : «À la rigueur, on peut dire qu'elle a changé.»

Vous répétez : —À la rigueur, on peut dire qu'elle a changé.

1. *Vous n'êtes pas d'accord !*

   a. À la rigueur, on peut dire qu'elle a changé.   b. Je vois ce que vous voulez dire.

2. *Réconciliez-vous !*

   a. Vous avez peut-être raison.   b. À quoi bon critiquer les enfants !

3. *Vous n'êtes pas d'accord !*

   a. Attendez, je ne suis pas tout à fait d'accord !   b. Cette idée a ses bons côtés.

4. *Vous n'êtes pas d'accord !*

   a. Il faut considérer la chose sous tous ses aspects.   b. Mais, ce n'est pas possible !

5. *Réconciliez-vous !*

   a. Je comprends ce que vous voulez dire.   b. Mais non ! Vous avez tort !

6. *Réconciliez-vous !*

   a. C'est bien dit. Je suis tout à fait d'accord avec vous.   b. Il ne s'agit pas de cela !

4-3. Comment dire : exprimer la nostalgie (dictée)

Voici un paragraphe d'une lettre que la mère de Talal lui a écrit et dans laquelle elle parle du bon vieux temps. La première fois, écoutez attentivement. La deuxième fois, le paragraphe sera lu plus lentement. En écoutant, écrivez chaque phrase exactement comme vous l'entendez. La troisième fois, écoutez encore en relisant ce que vous avez écrit pour vérifier votre transcription.

4-4. Vocabulaire : la famille

La vieille dame que vous avez rencontrée à Paris parle de sa famille. Voici la description de plusieurs de ses parents. Lisez le paragraphe et répondez aux questions en choisissant le meilleur mot de vocabulaire ou expression pour décrire les liens de famille.

MODÈLE : Qui est têtu ?

Son neveu est têtu.

Le fils de mon frère est très têtu. Mon frère s'est marié très jeune avec une femme très sensible que j'aime beaucoup. Ils ont eu trois enfants : un fils et deux filles. Les deux filles sont adorables. Mon mari et moi, nous n'avons pas de fille, mais je suis la marraine de la fille de nos voisins. C'est une jeune femme très énergique. J'ai deux fils qui sont mariés. La femme de l'aîné est très gentille. Elle me rend souvent visite. Le cadet et sa femme ont des fils jumeaux qui sont tous deux fantastiques. La mère de mon mari habite avec nous. C'est une femme insupportable ! Son mari était un homme très généreux. Il est décédé il y a bien des années.

1. Qui est têtu ? _____

2. Qui est sensible ? _____

3. Qui est adorable ? _____

4. Qui est énergique ? _____

5. Qui est gentille ? _____

6. Qui est fantastique ? _____

7. Qui est insupportable ? _____

8. Qui était généreux ? _____

4-5.   Structures : les adjectifs et pronoms démonstratifs

(a) *La vieille dame sort des photos de sa famille et vous les montre. Remplissez les blancs avec la forme appropriée de l'adjectif démonstratif.*

— Regardez. _____ photos sont des photos récentes. Vous voyez

_____ jeune femme ? C'est la femme de mon fils aîné. _____

homme-là, c'est son père et _____ jeune homme est son frère.

_____ maison-là est la maison des parents de ma belle-fille. Ah ! Voici une

photo de mon fils. _____ chiens sont les siens, mais _____

chat-là n'est pas à lui. Voyez-vous _____ deux jolies filles ? Ce sont les

nièces de mon fils.

(b) *La vieille dame continue de vous montrer ses photos. Remplissez les blancs avec la forme appropriée du pronom démonstratif.*

— Voici de belles photos ! _____ -ci est une photo de toute la famille à Noël

l'année dernière et _____ -là est une autre photo de mes enfants et de mes

petits enfants. Vous voyez l'homme en bleu ? C'est le fils de mon frère, _____

qui est têtu. Et les deux filles, _____ qui sont à gauche, ce sont ses sœurs. Ah !

Ces deux hommes-là, _____ qui sourient, ce sont mes fils. _____

qui est plus grand, c'est le cadet. _____ qui est plus petit, c'est l'aîné. La vieille

femme, _____ qui est assise au centre, c'est la mère de mon mari. Vous voyez

comme elle a l'air sévère ?

4-6. Structures : les adjectifs et pronoms interrogatifs

(a) *Vous en avez marre de regarder les photos de la famille de cette dame bavarde, mais vous voulez profiter de la situation afin d'apprendre un peu plus sur la vie à Paris. Alors, vous lui posez des questions. Formez des questions afin d'obtenir les renseignements suivants. Employez un adjectif interrogatif.*

MODÈLE : son restaurant préféré

Quel restaurant préférez-vous ?

1. sa boulangerie préférée

_____

2. le magasin qu'elle fréquente le plus souvent

_____

3. le café qu'elle aime le mieux

_____

4. ses jardins préférés

_____

5. les pâtisseries qu'elle aime acheter pour ses petits-enfants

_____

6. le musée qu'elle trouve le plus intéressant

_____

(b) *La vieille dame répond à vos questions en indiquant deux choix possibles. Vous voulez qu'elle choisisse l'un des deux. Posez encore des questions afin de connaître ses préférences. Employez un pronom interrogatif.*

MODÈLE : le restaurant Chez Plumeau ou L'Auberge de la Reine

Lequel préférez-vous ?

1. la boulangerie Antoine ou la boulangerie Miel

2. le magasin Monoprix ou le magasin Champion

3. le Café de la Paix ou le café des Deux Magots

4. le Jardin du Luxembourg ou le Jardin des Plantes

5. les mille-feuilles ou les tartelettes aux abricots

6. le musée de l'Orangerie ou le musée Rodin

4-7. Structures : le plus-que-parfait

(a) *Talal Lateef se sent un peu mal à l'aise à cause du départ soudain de son ami Nicolas Gustave. Il repense aux événements de la journée et à la visite des hommes dans la voiture grise ces deux derniers jours. De plus, il se demande s'il a bien fait de raconter cette histoire à Claire et à Jean-Louis. Il a des regrets. Conjuguez les verbes dans les phrases suivantes au plus-que-parfait.*

1. Si seulement je (parler) _____ à Nicolas après la visite des hommes dans la voiture grise !

2. Si seulement Nicolas (s'arrêter) _____ pour bavarder avant de partir ce jour-là !

3. Si les deux hommes (acheter) _____ un journal, je ne les aurais pas remarqués.

4. Si ces deux jeunes gens (ne… pas/venir) _____ me poser des questions, je n'aurais pas trouvé bizarre son absence.

5. Si seulement ils (ne… pas/être) _____ si gentils ! J'aurais peut-être gardé le silence.

6. Si seulement je (avertir) _____ Monsieur Gustave ! Mais il n'est peut-être pas trop tard. Je vais appeler le vieux Gustave.

(b) *Talal rentre à la maison et raconte tout ce qui s'est passé à sa femme. Conjuguez les verbes entre parenthèses au passé composé, à l'imparfait ou au plus-que-parfait.*

Quelle journée ! Ce matin, je (arriver) _____ au kiosque à six heures, comme d'habitude. Je (ouvrir) _____ le kiosque et je (ranger) _____ les journaux. Il (faire) _____ beau et tout (aller) _____ bien. Les gens (acheter) _____ leurs journaux comme d'habitude. Soudain, deux jeunes gens, une jeune femme avec un accent et un homme en costume, (commencer) _____ à me poser des questions à propos de Nicolas Gustave. À vrai dire, je (remarquer) _____ plus tôt dans la journée que son étalage (être) _____ fermé. Quand ces deux personnes m'(interpeller) _____, je (se souvenir) _____ d'une rencontre un peu bizarre entre Nicolas et deux hommes dans une voiture grise qui a eu lieu hier. Ces deux hommes (venir) _____ au kiosque deux jours auparavant et ils (discuter) _____ avec Nicolas. Alors, quand ils (revenir) _____ hier matin, je (se rappeler) _____ que Nicolas, lors de la première conversation avec l'homme principal, (être) _____ tout agité. Enfin,

je (répondre) _____ à toutes leurs questions et les deux jeunes gens (partir)

_____. Ensuite, je (avoir) _____ des regrets d'avoir tout dit à ces

deux inconnus et je (téléphoner) _____ au vieux Gustave. Enfin, Nicolas (partir)

_____ en vacances et le vieux Gustave (dire) _____ cela aux

deux jeunes gens. Ils lui (rendre) _____ visite l'après-midi. Enfin, il semble que

ce sont des chercheurs qui veulent acheter un manuscrit mais ils vont devoir attendre le retour

de Nicolas. Alors, en fin de compte, tout va bien. Je (s'inquiéter) _____ pour rien.

4-8.   Vous rappelez-vous ? les verbes irréguliers au présent

(a) *Ahmed, le fils de Talal, raconte l'intrigue d'un film policier qu'il a vu récemment. Choisissez parmi les verbes suivants et remplissez les blancs en conjuguant le verbe au présent. Vous allez utiliser les verbes plus d'une fois.*

suivre, fuir, conduire, s'enfuir *(to run away, escape)*

Le personnage principal est un jeune homme qui _____ des cours à l'uni-

versité. Il veut devenir ingénieur. Le weekend, il travaille à la boucherie de son père. Il

_____ le camion de son père et fait des livraisons à domicile dans des quar-

tiers très chic. Un jour, il remarque qu'il y a deux hommes qui le _____ par-

tout. Ils _____ une petite voiture blanche. Il le trouve bizarre, mais il ne sait

pas quoi faire. Un jour, il en a marre et il _____ son camion très rapide-

ment et il a un accident sur l'autoroute. Quand les deux hommes sortent de leur voiture

blanche, il comprend que ce sont des flics (*cops*) et, sans raison, il décide de décamper. Il

_____ la scène de l'accident à pied. Les flics _____ le

jeune homme, pensant qu'il est coupable d'être vendeur de drogues aux gens riches du

beau quartier, ce qu'il n'est pas. À la fin du film, le jeune homme, qui est innocent, se rend

aux flics. Quand il apprend pourquoi les flics le suivaient avant l'accident, il s'échappe de

la prison et il _____.

(b) *Connaissez-vous la différence entre les verbes* **connaître** *et* **savoir** *? Savez-vous employer ces deux verbes ? Talal et Ahmed parlent de leurs goûts. Remplissez les blancs en choisissant entre ces deux verbes et en conjuguant le verbe au présent.*

TALAL : Est-ce que tu _____ des cinéastes algériens ? Il y en a beaucoup. Le cinéma algérien est très intéressant.

AHMED : Papa, je _____ que tu aimes beaucoup ces films parce qu'ils te rappellent ta jeunesse en Algérie, mais moi j'aime les films policiers, les comédies et les films d'aventure.

TALAL : Ah, les jeunes ! Vous ne _____ pas combien nous avons sacrifié afin de vous donner la vie que vous menez aujourd'hui. Est-ce que les professeurs à l'université vous parlent de l'histoire de notre pays ? Est-ce qu'ils _____ ce qui s'est passé pendant l'époque coloniale et au moment de la décolonisation ? Est-ce qu'ils _____ notre histoire et notre culture ?

AHMED : Oui, papa. Mais, moi, je me spécialise en médecine. On n'étudie pas ces matières-là.

TALAL : Alors, c'est à toi de t'instruire de la culture maghrébine, celle de tes ancêtres. Il faut que tu regardes des films algériens et que tu lises des auteurs maghrébins. Est-ce que tu _____ l'œuvre d'Assia Djebar ? de Kateb Yacine ? d'Albert Memmi ? Est-ce que tu _____ qu'Assia Djebar a fait des films elle aussi ? Est-ce que tu _____ les villes d'Alger, de Rabat ou de Tunis ? Est-ce que tu _____ qu'on peut apprendre beaucoup sur les cultures arabes à l'Institut du monde arabe ici à Paris ?

AHMED : Papa, s'il te plaît ! Je vois ce que tu veux dire, mais je suis fatigué. Pouvons-nous en parler un autre jour ? Je promets de tout apprendre sur notre culture un jour.

4-9. Recyclons ! le pronom possessif

Karine et Ahmed essaient d'étudier dans le salon de leur appartement. Ils se disputent un peu à propos de leurs affaires. Jouez le rôle de Karine et posez des questions à propos des affaires dans le salon suivant les indications données. Dans chaque question, employez un pronom interrogatif, un pronom possessif et des pronoms démonstratifs !

Modèle : cahier/à toi ?

Lequel est le tien, celui-ci ou celui-là ?

1. stylos/à moi ? _____

2. bouquin/à Papa ? _____

3. chaussures/à Maman ? _____

4. journal/à nous ? _____

5. CDs/à toi et tes amis ? _____

6. magazine/à Maman et Papa ? _____

4-10. Culture : quiz culturel

Que savez-vous déjà ? Répondez aux questions suivantes.

1. Quelle ville ne se trouve pas au Maghreb ?

   a. Marseille

   c. Tunis

   b. Casablanca

   d. Alger

2. Laquelle est une caractéristique de tous les pays du Maghreb ?

   a. Ils se trouvent au Moyen-Orient.

   b. Ils sont devenus indépendants dans les années 60.

   c. Ils ont tous été des colonies de la France.

   d. Ils ont tous été influencés par la culture arabe.

3. Traditionnellement, la plupart des Français s'identifient avec la religion… ?

   a. islamique

   c. protestante

   b. juive

   d. catholique

4. La plus grande population d'immigrés en France aujourd'hui est la population… ?

   a. vietnamienne

   c. maghrébine

   b. irlandaise

   d. haïtienne

5. La guerre d'indépendance algérienne a commencé… ?

   a. avant la Révolution haïtienne

   c. avant l'indépendance du Maroc

   b. avant la bataille de Diên Biên Phu

   d. avant la Seconde Guerre mondiale

6. Les «harkis» et les «pieds noirs» étaient… ?

   a. des partisans du FLN

   c. des peuples indigènes du Maghreb

   b. des partisans de la France

   d. des peuples islamiques

7. Quel monument ou quartier se trouve sur la rive droite ?

   a. Montmartre

   c. la tour Eiffel

   b. le Quartier Latin

   d. la cathédrale de Notre-Dame

8. Qu'est-ce que c'est que le Palais-Royal ?

   a. un grand château privé

   c. un théâtre

   b. une cour avec un jardin

   d. un restaurant parisien

9. Le Minitel est… ?

    a. un guichet à la poste   b. un magasin d'annuaires (*phone books*)

    c. une technologie similaire à l'internet   d. aucune de ces réponses

10. Avant de mourir, Edith Piaf… ?

    a. avait été reine de Monaco   b. avait chanté à Paris

    c. avait dansé au Moulin-Rouge   d. avait été l'arrière grand-mère de Lionel
       Gustave

11. La tante de votre neveu ne peut pas être… ?

    a. la sœur de votre père   b. votre sœur

    c. la femme de votre frère   d. vous-même (si vous êtes une femme)

12. Votre belle-mère est… ?

    a. la 2ème femme de votre père   b. la 2ème femme du père de votre époux/-se

    c. la mère de votre époux/-se   d. Toutes ces réponses sont possibles.

13. Quelqu'un qui est têtu n'aime pas… ?

    a. les jeux stupides   b. les animaux familiers

    c. changer son opinion   d. changer de vêtements

14. Quelqu'un qui est naïf est… ?

    a. prudent   b. sophistiqué

    c. crédule   d. timide

15. Dans un kiosque, on ne peut pas acheter… ?

    a. des magazines   b. des livres anciens

    c. des journaux   d. des plans

4-11. Culture : comparaisons

Relisez le «Récit» de l'Épisode 1 du texte, dans lequel il y a une description de la famille nucléaire de Talal Lateef et de la famille de Lionel Gustave. Faites des esquisses de l'arbre généalogique de chacune de leurs familles et de la vôtre aussi. Indiquez la profession de chaque individu, si vous la connaissez. Ensuite, écrivez quelques phrases pour comparer votre famille aux familles Lateef et Gustave. Y a-t-il des similarités et des différences ?

la famille Lateef	la famille Gustave	votre famille

4-12. Littérature : suite

Femmes d'Alger dans leur appartement d'Assia Djebar

Imaginez une conversation entre vous et les filles du hazab. Avez-vous des questions à leur poser à propos de leur famille ? Voulez-vous les encourager à raconter une anecdote ? Allez-y ! Écrivez un petit dialogue entre vous et les personnages du texte.

5 Les conseils d'un Français

■ **Activités orales**

5-1. **Comment dire : parler des actualités**

Vous êtes à Paris et vous écoutez les infos à la radio. Écoutez les descriptions des actualités du jour. Ensuite, indiquez sous quelle rubrique (heading) on doit classer chaque événement en entourant la bonne rubrique.

1. la politique   le crime   les affaires   la météo   les sports   la culture

2. la politique   le crime   les affaires   la météo   les sports   la culture

3. la politique   le crime   les affaires   la météo   les sports   la culture

4. la politique   le crime   les affaires   la météo   les sports   la culture

5. la politique   le crime   les affaires   la météo   les sports   la culture

6. la politique   le crime   les affaires   la météo   les sports   la culture

5-2. Comment dire : montrer l'intérêt ou l'indifférence

Par hasard, vous rencontrez Claire Plouffe dans un café à Paris. Elle vous reconnaît de la Nouvelle-Orléans et commence une conversation avec vous au sujet des actualités. Écoutez ce qu'elle vous dit et choisissez la réponse (a) ou la réponse (b) selon les indications. Prononcez votre réponse à haute voix et puis répétez la bonne réponse (avec enthousiasme et en faisant attention à votre prononciation) après le narrateur.

Modèle : Claire : «Finalement, la bourse rebondit !» *Montrez votre intérêt !*

Vous dites : — Ça alors ! C'est incroyable !

Vous entendez : «Ça alors ! C'est incroyable !»

Vous répétez : — Ça alors ! C'est incroyable !

1. *Montrez votre intérêt !*

   a. Ça alors ! C'est incroyable !　　　　b. Ça arrive ces choses-là.

2. *Montrez votre indifférence.*

   a. Tant pis…　　　　b. Dis donc !

3. *Montrez votre indifférence.*

   a. Ce n'est pas mon truc.　　　　b. C'est bien intéressant !

4. *Montrez votre intérêt !*

   a. Comme c'est curieux !　　　　b. Que voulez-vous ?

5. *Montrez votre indifférence.*

   a. Cela ne m'intéresse pas.　　　　b. Racontez-moi tout !

6. *Montrez votre indifférence.*

   a. Tiens, tiens !　　　　b. Je n'y suis pour rien.

5-3. Comment dire : décrire le temps (dictée)

Claire a un journal et elle vous lit la météo pour la région parisienne. Vous allez entendre le paragraphe trois fois. La première fois, écoutez attentivement. La deuxième fois, le paragraphe sera lu plus lentement. En écoutant, écrivez chaque phrase exactement comme vous l'entendez. La troisième fois, écoutez encore en relisant ce que vous avez écrit pour vérifier votre transcription.

_____

_____

_____

_____

_____

_____

_____

_____

_____

_____

_____

_____

_____

_____

_____

_____

5-4. Comment dire : apprendre une nouvelle à quelqu'un

Toujours au café, vous écoutez lorsque les autres clients se parlent. Il y en a qui apprennent des nouvelles à leurs amis. Écoutez et répétez les phrases à haute voix, après le narrateur, en faisant attention à votre prononciation et à votre intonation. Ensuite, indiquez si la personne qui parle va apprendre une bonne nouvelle ou une mauvaise nouvelle à son interlocuteur.

MODÈLE : Vous entendez : «Tu ne vas pas me croire ! C'est fantastique !»

Vous répétez : — Tu ne vas pas me croire ! C'est fantastique !

Vous marquez : _____x_____ une bonne nouvelle

1. _____ une bonne nouvelle   _____ une mauvaise nouvelle

2. _____ une bonne nouvelle   _____ une mauvaise nouvelle

3. _____ une bonne nouvelle   _____ une mauvaise nouvelle

4. _____ une bonne nouvelle   _____ une mauvaise nouvelle

5. _____ une bonne nouvelle   _____ une mauvaise nouvelle

6. _____ une bonne nouvelle   _____ une mauvaise nouvelle

5-5. Comment dire : exprimer son opinion et donner des conseils

Le propriétaire du café commence à parler au serveur. Vous écoutez lorsqu'il exprime son opinion et se donne des conseils au serveur. Écoutez et répétez les phrases à haute voix, après le narrateur, en faisant attention à votre prononciation et à votre intonation. Ensuite, indiquez si la personne qui parle exprime une opinion ou donne un conseil à son interlocuteur.

Modèle : **Vous entendez :** «Il me semble que vous êtes toujours en retard.»

Vous répétez : — Il me semble que vous êtes toujours en retard.

Vous marquez : _____*x*_____ une opinion

1. _____ une opinion   _____ un conseil

2. _____ une opinion   _____ un conseil

3. _____ une opinion   _____ un conseil

4. _____ une opinion   _____ un conseil

5. _____ une opinion   _____ un conseil

6. _____ une opinion   _____ un conseil

5-6. Vocabulaire : les actualités et le temps

Voici quelques expressions que vous trouvez dans le journal que vous êtes en train de lire dans un café à Paris. Quels autres mots de vocabulaire associez-vous à ces expressions ? Faites une liste de quatre ou cinq mots que vous associez aux expressions suivantes.

1. un ouragan : _____

2. un procès : _____

3. une manifestation : _____

4. le chômage : _____

5. une exposition : _____

6. une vague de froid : _____

5-7. Structures : les adverbes

Au café, les clients parlent des actualités. Voici quelques-unes de leurs observations. Ajoutez à chaque phrase un adverbe dérivé de l'adjectif entre parenthèses.

1. Les Brésiliens jouent cette année. (bon)

_____

2. La bourse rebondit. (rapide)

_____

3. Les chefs d'état se réunissent en Europe. (fréquent)

_____

4. Le président de la République participe aux affaires européennes. (actif)

_____

5. Cet acteur joue le rôle d'Harpagon dans *L'Avare*. (exceptionnel + bon)

_____

6. On a parlé de son talent dans ce journal. (bref)

_____

7. Un ouragan a frappé la Martinique. (violent)

_____

8. Personne n'a été blessé. (sérieux)

_____

9. Les cambrioleurs du magasin étaient soûls (*drunk*). (évident)

_____

10. On a interpellé plusieurs témoins. (discret)

_____

5-8. Structures : les prépositions suivies de noms géographiques

En vous promenant, vous passez par une agence de voyages qui semble avoir des offres intéressantes. Vous regardez les brochures pour les pays francophones. Formez des phrases à partir des éléments donnés afin de connaître les possibilités. Faites attention à l'usage des prépositions.

Modèle : un vol   Paris → Dakar, Sénégal   290 euros

Un vol de Paris à Dakar au Sénégal coûte seulement 290 euros !

1. un forfait (vol + hôtel)   Paris → Phnom Penh, Cambodge, Asie du sud-est   798 euros

   _____

2. un vol   Zurich, Suisse → Toronto, Ontario, Canada   435 euros

   _____

3. une croisière   Bordeaux, France → Pointe-à-Pitre, Guadeloupe, Antilles   990 euros

   _____

4. un billet de train   Bruxelles, Belgique → Marseille, Provence, France   185 euros

   _____

5. un vol   Luxembourg, Luxembourg → Tunis, Tunisie, Afrique   320 euros

   _____

5-9. Structures : le subjonctif et le subjonctif passé

(a) *À l'agence de voyages, un agent donne des conseils à un jeune couple qui veut aller en Polynésie pour leur lune de miel (honeymoon) au mois de novembre. Conjuguez les verbes entre parenthèses au subjonctif ou au subjonctif passé.*

AGENT : J'ai plusieurs forfaits en Polynésie, avec vol aller-retour et chambre d'hô-

tel pour une semaine, comme celui-ci au Club Bougainville à Tahiti. Je

veux que mes clients (savoir) _____ combien il est favo-

rable de trouver une bonne station balnéaire où tout est compris : la

chambre, les repas, l'accès aux plages, les sports nautiques, et tout. Je

doute que vous (vouloir) _____ rester en ville où il y a

beaucoup de circulation et beaucoup de bruit. Il vaut mieux qu'un jeune

couple amoureux (être) _____ protégé du stress. Je suis

heureux que vous (ne... pas/voyager) _____ à Tahiti

auparavant et que ce (être) _____ votre premier voyage

là-bas. Le premier voyage, c'est toujours le meilleur ! Il est important que

vous (réfléchir) _____ à l'idée de voyager en première

classe. Ça coûte un peu plus, mais c'est pour votre lune de miel ! Alors, il

faut absolument que vous (faire) _____ vos réservations

aujourd'hui. Bien qu'on (venir) _____ d'annoncer ce for-

fait, je ne suis pas sûr qu'il y aura encore des places après ce soir. Voulez-

vous que je vous (donner) _____ le prix pour deux

personnes, en première classe ?

(b) *Les jeunes fiancés demandent à l'agent de leur donner quelques minutes afin de lire la brochure et de penser au type de voyage qu'ils veulent. Voici leur conversation. Conjuguez les verbes entre parenthèses au subjonctif ou à l'indicatif.*

SOPHIE : Je ne sais pas, Sammy. Je pense que ce voyage (aller) _____ nous coûter trop cher.

SAMUEL : Je suis surpris que tu (hésiter) _____. C'est notre lune de miel !

SOPHIE : Oui, mais il est nécessaire que nous (payer) _____ ce voyage nous-mêmes et nous n'avons pas beaucoup d'argent à gaspiller.

SAMUEL : Alors, tu as peur que nous (ne... pas/avoir) _____ assez d'argent pour aller à l'autre bout du monde. Mais que veux-tu que je te (dire) _____ ? Nous devrons payer les repas et l'hôtel où que nous (aller) _____. Pourquoi ne pas aller à Tahiti ?

SOPHIE : Je vois ce que tu (vouloir) _____ dire, mais alors, est-ce qu'il nous faut une station balnéaire luxueuse ? J'aimerais mieux qu'on nous (trouver) _____ une petite case (*cabin*) bon marché, que nous (préparer) _____ nos propres repas et que nous (habiter) _____ comme les Tahitiens. Je ne veux pas être entourée de touristes. Je veux connaître la culture et rencontrer les gens locaux.

SAMUEL : C'est bien dit. Mais je veux que nous (se reposer) _____ pendant notre lune de miel. Je veux que quelqu'un nous (servir) _____ les repas et que quelqu'un (nettoyer) _____ notre chambre ! Bon, réfléchissons encore un peu et demandons les conseils de nos amis.

(c) *Ces jeunes gens ont besoin de conseils. Aidez-les à prendre une décision ! Exprimez vos opinions sur leur choix de voyage, leur agent de tourisme, les voyages en général et/ou la lune de miel. Terminez les phrases en employant le subjonctif ou l'indicatif.*

1. Il faut que… _____

2. Il est clair que… _____

3. Je suggère que… _____

4. Il est regrettable que… _____

5. Faites ce que vous voulez, pourvu que… _____

6. Je ne pense pas que… _____

7. Prenez votre temps parce que… _____

8. Il est absolument essentiel que… _____

5-10. Vous rappelez-vous ? les verbes irréguliers au présent

Vous regardez Sophie et Samuel continuer leur conversation avec l'agent de tourisme. Voici une description de ce qui se passe. Choisissez parmi les verbes suivants et remplissez les blancs en conjuguant les verbes au présent. Vous allez utiliser quelques verbes plus d'une fois.

lire, dire, écrire, rire, décrire, sourire

Sophie et Samuel _____ à nouveau les brochures du Club Bougainville

afin de savoir ce qui est compris dans le prix du voyage. L'agent de tourisme

_____ la beauté des plages. Samuel est content et il _____.

C'est un sourire très grand. L'agent calcule le prix et il _____ ce prix sur une

feuille de papier qu'il donne à Samuel. Quand Samuel la regarde, il _____ ce

que l'agent a écrit. Il est sous le choc. Sophie trouve cela amusant et elle _____.

L'agent de tourisme _____ aussi, mais c'est un rire nerveux. Sophie

_____ qu'elle préférerait une petite case sans prétention au lieu d'un grand

hôtel de luxe. Elle _____ le type de voyage qui l'intéresse. L'agent leur montre

d'autres brochures. Sophie et Samuel décide d'attendre. Ils _____ «au revoir» à

l'agent et ils s'en vont.

5-11. Recyclons ! le passé composé, l'imparfait et le plus-que-parfait

Sophie et Samuel sont contents que vous leur ayez donné des conseils. Sophie vous raconte comment elle a rencontré Samuel. Mettez les verbes entre parenthèses au passé composé, à l'imparfait ou au plus-que-parfait.

SOPHIE : Samuel et moi, nous (se rencontrer) _____ il y a trois ans. Je

(décider) _____ de partir en vacances à Venise. Ce (être)

_____ le mois de février et les Vénitiens (fêter)

_____ le carnaval. Il (faire) _____ frais, il y

(avoir) _____ une atmosphère de fête, et tout le monde (se

promener) _____ dans les rues masqués et déguisés. À cette

époque, Samuel (faire) _____ son service militaire dans la

marine et on le (mettre) _____ sur un navire

(*ship*) dans la mer Adriatique. Tous ces soldats français (débarquer)

_____ (*to disembark*) à Venise le jour avant mon arrivée. Ma

première nuit à Venise, je (aller) _____ dans un café Place

San Marco. Samuel et ses amis (passer) _____ par le café. Il

(voir) _____ que je (boire) _____ un verre de

vin toute seule et il (croire) _____ que j'étais italienne.

Alors, il (s'asseoir) _____ à ma table et il (commencer)

_____ à me parler en italien, mais un mauvais italien ! Ce

(être) _____ adorable. Je lui (sourire) _____

et je (se présenter) _____ en français. Et voilà ! Un vrai coup

de foudre ! Nous sommes ensemble depuis ce jour-là.

5-12. Culture : quiz culturel

Que savez-vous déjà ? Répondez aux questions suivantes.

1. Lequel des endroits suivants n'est pas dans les DOM-TOM ?

   a. Tahiti

   c. la Guadeloupe

   b. la Guyane

   d. Madagascar

2. Quand il fait maussade… ?

   a. il fait beau temps

   c. il neige

   b. il fait mauvais temps

   d. il grêle

3. Quand on est au chômage, on est… ?

   a. sans enfants

   c. sans amis

   b. sans travail

   d. sans passeport

4. Dans un café parisien, on ne peut pas trouver… ?

   a. des boissons chaudes

   c. des boissons alcoolisées

   b. des cendriers

   d. des cocotiers

5. Quand il fait 10 degrés celsius, il fait approximativement… ?

   a. 40 degrés fahrenheit

   c. 60 degrés fahrenheit

   b. 50 degrés fahrenheit

   d. 60 degrés fahrenheit

6. Choisissez un symbole de l'automne en France… ?

   a. les bougainvillées

   c. la tramontane

   b. le brouillard

   d. la foudre

7. Quel pays ne faisait pas partie de l'originale «Europe des douze» ?

   a. l'Italie

   c. l'Irlande

   b. la Norvège

   d. la Suisse

8. On ne trouve pas d'organismes gouvernementaux de l'UE à… ?

   a. La Haye

   c. Bruxelles

   b. Strasbourg

   d. Luxembourg

9. Le marché commun de la Communauté économique européenne a été initié en ?

   a. 1919

   c. 1957

   b. 1945

   d. 1962

10. Lequel des titres suivants vous apprend une bonne nouvelle ?

    a. «Exposition à Dakar»   b. «Attentat à Biarritz»

    c. «Grève en Provence»   d. «Ouragan à la Réunion»

11. Pour montrer de l'indifférence, vous pouvez dire… ?

    a. Tu parles   b. Ça alors

    c. Ah bon   d. Dis donc

12. La capitale de la Polynésie Française est… ?

    a. Tahiti   b. Papeete

    c. Bora-Bora   d. Bougainville

13. Le nom du dernier roi tahitien était… ?

    a. Pomaré IV   b. Pomaré V

    c. Louis XIV   d. Napoléon

14. Lequel de ces hommes célèbres n'a jamais visité la Polynésie ?

    a. Gauguin   b. Loti

    c. Diderot   d. Bougainville

15. Le palais de Versailles a été agrandi au 17ème siècle pour… ?

    a. Louis XIV   b. Louis XVI

    c. Le Nôtre   d. Marie-Antoinette

5-13. Culture : comparaisons

Pensez au temps et à son influence sur la culture. Quel temps fait-il à Paris du mois de septembre au mois de décembre ? Quelles sont les caractéristiques de cette saison ? Et à Tahiti, quel temps fait-il pendant cette période ? Et chez vous ? Quel temps fait-il du mois de septembre au mois de décembre ? Pensez à vos réponses à ces questions et puis écrivez quelques phrases pour analyser les différences ou les similarités entre les climats de Paris, de Tahiti et de chez vous, et parlez de l'influence du climat sur la culture.

_____

_____

_____

_____

_____

_____

_____

_____

_____

_____

_____

_____

_____

_____

5-14. Littérature : suite

L'Avare de Molière

Imaginez une conversation entre Harpagon et son intendant Valère dans laquelle Harpagon accuse l'intendant d'avoir volé sa cassette. Bien sûr, Valère nie (denies) avoir touché à son argent et lui donne des conseils pour trouver le vrai voleur. Écrivez un petit dialogue entre les deux personnages.

Interlude

■ **Activités orales**

I-1. **Comment se présenter et comment décrire sa routine quotidienne**

Vous venez de rencontrer un touriste francophone dans la région où vous habitez. Il veut rencontrer des gens et connaître la culture nord-américaine. Alors, il vous pose beaucoup de questions. Répondez aux questions en écrivant des phrases complètes.

À réviser avant de faire cette activité : les fonctions et les structures du Chapitre 1, surtout la conjugaison des verbes au présent.

1. _____

2. _____

3. _____

4. _____

5. _____

6. _____

7. _____

8. _____

9. _____

10. _____

11. _____

12. _____

13. _____

14. _____

15. _____

I-2.   Comment parler de ses préférences

Ce touriste veut en savoir plus sur vos habitudes et vos préférences. Il vous pose encore de questions. Répondez à ses questions d'après vos préférences personnelles en donnant autant de détails que possible.

*À **réviser avant de faire cette activité** : le vocabulaire pour parler des voyages (Chapitre 1), de la cuisine (Chapitre 2), de la mode (Chapitre 3), des membres de la famille (Chapitre 4) et des actualités et du temps (Chapitre 5); l'usage des articles et du partitif (Chapitres 1 et 2); l'usage des adjectifs descriptifs (Chapitre 3); les prépositions suivies de noms géographiques (Chapitre 5); la conjugaison des verbes au passé (Chapitres 2, 3 et 4).*

1. _____
   _____

2. _____
   _____

3. _____
   _____

4. _____
   _____

5. _____
   _____

6. _____
   _____

7. _____
   _____

8. _____
   _____

9. _____
   _____

10. _____
    _____

(continues next page)

11. _____

_____

12. _____

_____

■ Activités écrites

I-3.   Comment poser des questions

Dans les cinq premiers chapitres de ce texte, on a beaucoup appris sur les cultures francophones. Vérifions ce que vous savez ! Formulez des questions sur les gens et les sujets suivants, d'après les indications. Ensuite, essayez de répondre aux questions en relisant le texte ou en posant les questions à vos camarades de classe !

**À réviser avant de faire cette activité :** l'interrogatif (Chapitres 1 et 2); l'usage de l'adjectif et du pronom interrogatifs (Chapitre 4); les centres d'information (Chapitres 1 à 5) et les textes littéraires (Chapitres 1 à 5).

Modèle : localisation du Vieux Carré

Où est le Vieux Carré ? À la Nouvelle-Orléans !

1. définition d'un «fais dodo»

_____

2. profession de Zachary Richard

_____

3. ingrédients d'une étouffée

_____

4. langues parlées à Haïti

_____

5. dates de la Révolution haïtienne

_____

6. nombre d'arrondissements à Paris

_____

7. produits qu'on peut acheter dans un grand magasin

_____

8. importance de Diên Biên Phu

_____

9. localisation du Maghreb

_____

10. cinq piliers de la religion islamique

_____

11. caractéristiques de l'œuvre d'Assia Djebar

_____

12. définition des DOM-TOM

_____

13. année de la fondation de l'Union européenne

_____

14. nom du château de Louis XIV

_____

15. profession de Molière

_____

I-4. Comment décrire les gens

*À réviser **avant de faire ces activités** : comment décrire les gens, les vêtements et les objets (Chapitre 3), comment décrire le caractère des gens (Chapitre 4).*

(a) Votre autoportrait ! *Vous avez invité des amis de vos amis, des touristes francophones, à passer quelques jours chez vous. Vous allez les rencontrer à l'aéroport près de chez vous et vous leur envoyez un message par courrier électronique afin de vous décrire. Faites votre description physique, décrivez les vêtements que vous allez porter à l'aéroport, et décrivez votre caractère.*

_____

_____

_____

_____

_____

_____

_____

_____

_____

_____

_____

_____

_____

_____

_____

_____

(b) Comment sont-ils ? *Lisez les descriptions des personnages principaux du texte (Interlude). Choisissez deux personnages qui vous intéressent, un homme et une femme, et imaginez comment ils sont. Faites une description physique (imaginez !) et une description du caractère de chacun des deux personnages.*

I-5. Comment parler du passé

À réviser avant de faire ces activités : la conjugaison des verbes au passé (Chapitres 2, 3 et 4).

(a) Questions de chronologie ! *Relisez la chronologie des événements dans votre texte (Interlude) et puis répondez aux questions suivantes.*

1. Qu'est-ce que François Fontenot a fait entre 1792 et 1822 ? Qu'est-ce qu'il avait déjà fait avant 1792 ?

_____

_____

2. Qu'est-ce que Henri Pierre Fontenot a fait entre 1941 et 1945 ? Pourquoi ?

_____

_____

3. Qu'est-ce que Henri Pierre Fontenot a fait en 1973 ? Pourquoi ?

_____

_____

4. Où est-ce que Claire Plouffe est allée en 2002 ? Pourquoi ? Qu'est-ce qu'elle avait déjà fait avant d'y aller ?

_____

_____

5. Quels pays Claire a-t-elle visité en 2003 ? Pourquoi ?

_____

_____

6. Quels autres personnages est-ce que Claire a vus au cours de sa visite à Paris en 2003 ? Lesquels avait-elle déjà rencontrés avant d'arriver à Paris ?

_____

_____

(b) Résumez l'intrigue ! *Relisez le résumé de l'intrigue dans votre texte (Interlude). Ensuite, choisissez le chapitre que vous pensez être le chapitre le plus important. Qu'est-ce qui s'est passé dans ce chapitre ? Récrivez le résumé de ce chapitre au passé.*

_____

_____

_____

_____

_____

_____

_____

_____

_____

_____

_____

_____

_____

_____

_____

(c) Qu'est-ce qui s'est passé ? *Maintenant que vous avez révisé l'intrigue, la chronologie des événements et les rôles des personnages, vous avez sans doute des questions à poser ! Écrivez cinq ou six questions que vous avez sur les personnages, leur rapports interpersonnels ou les événements de l'intrigue. Posez vos questions à vos camarades de classe ou bien à votre professeur afin de trouver des réponses satisfaisantes.*

_____

_____

_____

_____

_____

_____

_____

_____

_____

_____

_____

_____

_____

_____

_____

I-6. Comment exprimer son opinion et comment donner des conseils

À réviser avant de faire ces activités : comment encourager ou avertir quelqu'un (Chapitre 2); comment s'excuser et pardonner à quelqu'un (Chapitre 3); comment exprimer son désaccord et se réconcilier (Chapitre 4); comment montrer l'intérêt ou l'indifférence, comment apprendre une nouvelle à quelqu'un et comment réagir, comment exprimer son opinion et donner des conseils (Chapitre 5); l'usage du subjonctif (Chapitre 5).

(a) Exprimez-vous ! *Exprimez vos opinions sur les sujets suivants. Écrivez deux ou trois phrases. Employez les temps de verbe convenables.*

1. l'utilité des voyages dans les pays étrangers

_____

_____

2. la popularité du fast-food

_____

_____

3. l'importance de bien s'habiller en public

_____

_____

4. la disparition de la famille multi-générations

_____

_____

5. l'objectivité des journalistes

_____

_____

(b) Réagissez ! *Voici quelques déclarations et opinions de plusieurs gens. Réagissez à chaque opinion selon les indications données. Écrivez une phrase ou simplement une expression.*

1. Je vais me faire couper les cheveux. J'aime les cheveux courts. (*Encouragez cette personne.*)

   _____

2. Nous voulons visiter la ville de Québec pendant l'hiver. (*Donnez un avertissement.*)

   _____

3. Le recyclage ne sert à rien. À quoi bon y perdre son temps ? (*Exprimez votre désaccord.*)

   _____

4. Écoutez, j'ai fait une gaffe. J'ai perdu vos lunettes de soleil. (*Pardonner à cette personne.*)

   _____

5. Hier, c'était mon anniversaire. J'ai 30 ans ! (*Soyez surpris(e) !*)

   _____

6. Il y a des soldes (*sales*) magnifiques dans les grands magasins. (*Montrez votre indifférence.*)

   _____

7. Il y a une nouvelle exposition d'art impressionniste au musée d'Orsay. (*Montrez votre intérêt !*)

   _____

8. Je sais que vous aimez la musique classique, mais moi, je pense que le zydeco est une musique plus amusante et plus dynamique. (*Réconciliez-vous avec cette personne.*)

   _____

(c) Des conseils ! *Quels conseils voulez-vous donner à des gens dans les situations suivantes ? Écrivez deux ou trois phrases afin de communiquer vos désirs, vos sentiments, et vos conseils à chaque individu.*

1. une amie qui cherche un nouvel emploi

   _____

   _____

   _____

   _____

   _____

   _____

2. un collègue qui porte toujours des vêtements démodés

   _____

   _____

   _____

   _____

   _____

   _____

3. un membre de votre famille qui veut faire de la recherche généalogique

   _____

   _____

   _____

   _____

   _____

   _____

6 Une mésaventure martiniquaise

■ **Activités orales**

6-1. Comment dire : interrompre quelqu'un et ajouter quelque chose

Vous êtes à la Martinique et vous écoutez lorsque deux personnes francophones discutent de la politique. L'une d'entre eux n'arrête pas d'interrompre l'autre pour ajouter des commentaires. Écoutez leur conversation et indiquez si la personne qui interrompt le fait poliment ou impoliment. Ensuite, écrivez ce que la deuxième personne veut ajouter à la conversation.

MODÈLE : Vous entendez : «Je n'aime pas trop notre maire. Il est trop conservateur…

— Je suis désolé de t'interrompre, mais n'oublions pas qu'il est aussi très vieux.»

Vous marquez : _____ x _____ poli

Vous écrivez : Commentaire : _____ *il est très vieux aussi* _____

1. _____ poli _____ impoli Commentaire : _____

2. _____ poli _____ impoli Commentaire : _____

3. _____ poli _____ impoli Commentaire : _____

4. _____ poli _____ impoli Commentaire : _____

6-2. Comment dire : faire répéter ou faire préciser

Vous êtes chez vous et vous recevez un coup de téléphone d'un homme francophone qui veut vous apprendre une nouvelle importante. Vous avez du mal à l'entendre, alors il faut lui demander souvent de répéter. Aussi, vous avez du mal à le comprendre, alors il faut lui demander de s'expliquer ou de préciser ce qu'il veut dire. Écoutez ce qu'il vous dit et choisissez la réponse (a) ou la réponse (b) selon les indications. Prononcez votre réponse à haute voix et puis répétez la bonne réponse (avec enthousiasme et en faisant attention à votre prononciation) après le narrateur.

MODÈLE : Vous entendez : «Bonjour ! Je suis content de vous trouver chez vous.»

Vous voulez qu'il se répète.

Vous dites : —Excusez-moi ?

Vous entendez : «Excusez-moi ?»

Vous répétez : — Excusez-moi ?

1. *Vous voulez qu'il se répète.*

   a. Excusez-moi ?   b. J'ai du mal à vous comprendre.

2. *Vous voulez qu'il s'explique.*

   a. Je ne vois pas ce que vous voulez dire.   b. Pouvez-vous parler plus fort ?

3. *Vous voulez qu'il s'explique.*

   a. Qu'est-ce que vous venez de dire ?   b. Mais qu'est-ce que vous racontez ?

4. *Vous voulez qu'il se répète.*

   a. Pouvez-vous répéter, s'il vous plaît ?   b. Pouvez-vous préciser ?

5. *Vous voulez qu'il se répète.*

   a. Je ne comprends pas ce que vous dites.   b. Articulez, s'il vous plaît.

6. *Vous voulez qu'il s'explique.*

   a. Je n'ai pas bien entendu.   b. C'est–à–dire ?

6-3. Comment dire : rassurer quelqu'un (dictée)

Voici un extrait de la lettre que la tante Émilie a envoyée à Jean-Louis après l'anniversaire de la mère de Jean-Louis. Vous allez entendre le paragraphe trois fois. La première fois, écoutez attentivement. La deuxième fois, le paragraphe sera lu plus lentement. En écoutant, écrivez chaque phrase exactement comme vous l'entendez. La troisième fois, écoutez encore en relisant ce que vous avez écrit pour vérifier votre transcription.

■ Activités écrites

6-4. Vocabulaire : la politique

Vous travaillez pour une organisation à but non-lucratif qui aident les immigrés francophones aux États-Unis. Un jour, vous vous occupez d'un groupe d'enfants qui vous posent des questions sur la politique. Vous leur expliquez le sens de quelques mots de vocabulaire. Lisez les explications et remplissez les blancs avec un des mots de la liste suivante.

une élection, la souveraineté, un droit, une loi, une guerre, un parti politique

1. _____ c'est un conflit violent entre deux pays ou deux groupes qui ne sont pas d'accord.

2. _____ c'est quand les gens font entendre leurs voix afin de mettre quelqu'un au pouvoir dans le gouvernement.

3. _____ c'est l'idée que chaque individu peut faire certaines choses dans la vie, comme acheter une maison, voter ou se défendre contre ses accusateurs devant un juge.

4. _____ c'est quand un état est indépendant et n'est pas contrôlé par un autre état.

5. _____ c'est un groupe de gens qui ont à peu près les mêmes idées en ce qui concerne la société et le gouvernement et qui travaillent ensemble pour élire quelqu'un qui pense comme eux.

6. _____ c'est une règle écrite qui permet aux gens de faire certaines choses légalement ou qui défend aux gens de faire d'autres choses qui sont illégales.

6-5. Structures : les pronoms compléments d'objets et les pronoms adverbiaux

(a) *Bernadette rentre à la maison où elle habite avec ses parents et sa sœur. Sa mère lui demande de faire quelques courses. Sa grand-mère répète tout ce que la mère lui dit pour que Bernadette n'oublie rien. Récrivez les phrases en substituant des pronoms compléments d'objets ou des pronoms adverbiaux pour les expressions soulignées.*

1. Il faut que tu achètes <u>les crevettes</u> <u>au marché</u>.

_____

2. Aussi, tu achèteras un kilo <u>d'oranges</u>.

_____

3. Tu pourrais parler <u>de ton travail</u> <u>à Monsieur Pogue</u>.

_____

4. C'est Monsieur Pogue qui a apporté <u>ta boîte de pamphlets</u> <u>à tes amis parisiens</u> l'année dernière.

_____

5. Il est allé <u>à Paris</u> afin de fêter <u>son cinquantième anniversaire de mariage</u> !

_____

6. Ensuite, tu seras <u>près de la maison de ton frère</u>.

_____

7. Alors, tu iras <u>chez lui</u> et tu donneras <u>les oranges</u> <u>à sa femme</u>.

_____

8. Finalement, tu iras <u>à la poste</u> et tu enverras <u>ces lettres</u> <u>à tes cousins</u>.

_____

(b) *Quand Bernadette rentre à la maison deux heures plus tard, sa mère a des questions pour elle. Jouez le rôle de Bernadette et répondez aux questions en employant des pronoms compléments d'objet ou des pronoms adverbiaux.*

1. LA MÈRE :   Est-ce que tu as vu <u>ta belle-sœur</u> ?

   BERNADETTE : Non, _____

2. LA MÈRE :   Tu n'as pas laissé <u>les oranges</u> <u>chez ton frère</u> ?

   BERNADETTE : Oui, _____

3. LA MÈRE :   Et tes neveux étaient toujours <u>à l'école</u> ?

   BERNADETTE : Oui, _____

4. LA MÈRE :   Tu as trouvé <u>de bonnes crevettes</u> <u>au marché</u>, n'est-ce pas ?

   BERNADETTE : Oui, _____

5. LA MÈRE :   Et tu as remercié <u>Monsieur Pogue</u> d'avoir transporté <u>tes pamphlets</u> <u>à Paris</u> ?

   BERNADETTE : Oui, _____

6. LA MÈRE :   Est-ce qu'il t'a parlé <u>de prochaines élections</u> ?

   BERNADETTE : Non, _____

7. LA MÈRE :   Est-ce que tu as mis <u>mes lettres</u> <u>dans la boîte aux lettres</u> ?

   BERNADETTE : Oui, _____

8. LA MÈRE :   Et tu n'as pas revu <u>ces deux chercheurs</u> <u>en ville</u> ?

   BERNADETTE : Non, _____

(c) *La mère de Bernadette a toujours des commissions à lui demander. Voici encore des demandes qu'elle fait à sa fille. Récrivez-les à l'impératif en employant des pronoms compléments d'objet ou des pronoms adverbiaux.*

Modèle : Demain, il faut que nous parlions à ta belle-sœur.

Parlons-lui !

1. Demain, tu dois aller au travail. _____

2. Mais ce week–end il faut que nous organisions le dîner familial. _____

3. Il est important que nous invitions tes tantes chez nous. _____

4. Je veux que toi et ton père, vous serviez des boissons à tes tantes. _____

5. Surtout, il ne faut pas que tu nous parles de la politique. _____

6-6. Structures : les pronoms disjoints

Bernadette aide sa mère à ranger les affaires dans la maison et à préparer la cuisine. Elle parle de Claire et Jean-Louis et elle emploie beaucoup de pronoms disjoints afin de souligner de qui elle parle. Remplissez les blancs avec un pronom disjoint convenable.

BERNADETTE :   Cette jeune femme québécoise a l'air intelligente. _____,

elle est engagée dans la politique de son pays. Le Français, pourtant, a

l'air désintéressé. _____, il n'avait rien à ajouter à

notre conversation. Quant à _____, je préfère

discuter avec les gens qui ont des opinions sur ce qui se passe dans le

monde. _____ et Papa, vous m'avez appris à dire ce que

je pense. _____, vous avez l'esprit ouvert. Ici, chez

_____, nous avons toujours parlé des actualités. Même

mes vieilles tantes, _____, elles lisent les journaux et

elles aiment discuter. C'est vrai, pourtant que mon frère et sa femme,

_____, ils n'aiment pas parler de la politique. Ma belle-

sœur, _____, elle préfère parler de ses vêtements et des

meubles qu'elle achète pour la maison. Mais _____, je

déteste parler de choses banales comme ça.

6-7. Structures : le futur et le futur antérieur

Bernadette continue de parler de sa vie et imagine comment sera la vie à la Martinique si elle acquiert son indé-pendance de la France un jour. Conjuguez les verbes entre parenthèses au futur ou bien au futur antérieur.

BERNADETTE : Je parie qu'au bout de dix ans, la vie ici (être) _____ diffé-

rente. La Martinique (gagner/déjà) _____ son indé-

pendance et nous (ne... plus/avoir) _____ d'impôts

français à payer. Nous (élire) _____ un prési-

dent et un premier ministre martiniquais. L'économie (se développer)

_____ autour du tourisme et de la technologie car ce (être)

_____ la clé de notre avenir. Vous (voir)

_____ que tout (aller) _____ à mer-

veille. Quant à moi, en dix ans, je (faire/déjà) _____

des études supérieures en sciences politiques et je (recevoir/déjà)

_____ mon doctorat. Alors, le nouveau président (se

hâter) _____ de m'engager comme analyste politique.

J'(habiter) _____ ma propre maison à Fort-de-France et je

(être) _____ très occupée. Mais, ne t'inquiète pas, Maman,

je (revenir) _____ souvent vous voir à Schœlcher parce

que j'(avoir) _____ une petite voiture élec-

trique qui (faciliter) _____ le voyage. Je (ne... pas/prendre)

_____ l'autobus. Tu imagines !

6-8. Vous rappelez-vous ? les verbes irréguliers au présent

Bernadette décide de ne pas attendre d'aller voir ses tantes, et elle leur téléphone. Choisissez parmi les verbes suivants et remplissez les blancs en conjuguant le verbe au présent. Vous allez utiliser quelques verbes plus d'une fois.

dormir, mentir, sentir, se sentir, ressentir

BERNADETTE : Bonsoir, Tati. C'est Bernadette. Comment vas-tu ?

LA TANTE : Bonsoir. Je vais bien, mais Josie ne _____ pas très bien. Son rhumatisme, tu sais. Mais qu'y a-t-il ? Il est tard, non ?

BERNADETTE : Oui, un peu. Vous ne _____ pas, j'espère.

LA TANTE : Non, Josie et moi, nous ne nous couchons pas avant onze heures. Je _____ mal si je me couche trop tôt ou si je me lève trop tard. Je _____ exactement huit heures par nuit, de onze heures à sept heures. Mais, bon, tu n'as pas téléphoné pour parler de mes habitudes nocturnes.

BERNADETTE : Non, en effet. J'ai une question à propos de vos voisins.

LA TANTE : À propos des Thibodeau ? Il s'agit d'une de tes manifestations politiques ?

BERNADETTE : Non, Tati. Je connais quelqu'un qui veut parler à Monsieur Thibodeau. Comme c'est une femme bien, je _____ le besoin de l'aider.

LA TANTE : Tu ne me _____ pas ? Tu dis la vérité ?

BERNADETTE : Mais bien sûr, Tati. Je suis engagée en politique, je ne suis pas révolutionnaire ! Et de toute façon, tu sais que je ne _____ jamais. Il s'agit vraiment d'une femme étrangère qui fait de la recherche. Cette femme veut savoir si les Thibodeau sont chez eux. Elle leur a téléphoné, mais il n'y avait pas de réponse.

LA TANTE : Tiens, c'est vrai. Ils sont partis il y a quelques jours. Tu sais, chaque année ils rendent visite à leurs parents en Afrique. Ils y sont probablement allés.

BERNADETTE : Merci, Tati. Cette femme sera déçue, mais...

LA TANTE : Excuse-moi, mais je _____ l'odeur de quelque chose qui brûle dans la cuisine.

BERNADETTE : Ce n'est pas grave. Je t'appellerai demain ! Merci, Tati !

6-9. Recyclons ! le subjonctif

La mère de Bernadette la trouve un peu trop radicale. Elle lui donne des conseils. Mettez les verbes entre parenthèses au subjonctif ou à l'indicatif.

LA MÈRE :   Écoute, Bernadette, je sais que tu (s'intéresser) _____ à la politique et à l'avenir de la Martinique. C'est vraiment très admirable, mais tu es la fille la plus optimiste qui (être) _____ ! Il est naturel que tu (vouloir) _____ contribuer à la politique du pays. Pourtant, je ne veux pas que tu (confondre) _____ les rêves et la réalité. Il est douteux que la Martinique (pouvoir) _____ gagner son indépendance de la France en dix ans. Il est probable que nous (rester) _____ sous le protectorat de la France, même si nous gagnons un peu plus d'indépendance au cours de prochaines années.

6-10. Culture : quiz culturel

Que savez-vous déjà ? Répondez aux questions suivantes.

1. La capitale de la Martinique est… ?

  a. Paris   b. Port-au-Prince

  c. Fort-de-France   d. Pointe-à-Pitre

2. L'économie coloniale de l'île était basée sur… ?

  a. le tourisme   b. la canne à sucre

  c. les fruits exotiques   d. la pêche

3. Victor Schœlcher est célèbre pour avoir été… ?

  a. maire de Fort-de-France   b. gouverneur colonial

  c. anti-esclavagiste   d. anti-souverainiste

4. Les Français ont aboli l'esclavage en… ?

  a. 1635   b. 1789

  c. 1848   d. 1946

5. Aimé Césaire était… ?

  a. un poète   b. un activiste

  c. un Martiniquais   d. toutes ces réponses sont valides

6. La «négritude» était… ?

   a. un mouvement littéraire   b. un mouvement anti-esclavagiste

   c. un mouvement politique   d. un mouvement souverainiste

7. Les auteurs qui soutiennent l'idée de la «créolité» voient leur société comme… ?

   a. une mosaïque de cultures diverses   b. un mélange de cultures diverses

   c. une société traditionnellement africaine   d. une société homogène

8. Quand est-ce que l'ONU a été fondée ?

   a. pendant la IIe République Française   b. pendant la IIIe République Française

   c. pendant la IVe République Française   d. pendant la Ve République Française

9. Combien de partis politiques légitimes y a-t-il en France aujourd'hui ?

   a. deux   b. trois

   c. cinq   d. plus de six

10. Que veut dire le sigle «RPR» ?

   a. Réunion pour la République   b. Rassemblement pour la République

   c. Républicains pour le repos   d. Républicains pour la représentation

11. Au Québec, le Parti Québécois désire… ?

   a. que le Québec fasse partie du Canada   b. que le Québec se sépare du Canada

   c. que le Québec devienne allophone   d. que le Canada se sépare de la Grande-Bretagne

12. Au Québec, les autochtones sont les gens qui parlent… ?

   a. français   b. anglais

   c. des langues africaines   d. des langues amérindiennes

13. Quand un conteur veut attirer l'attention de son public aux Antilles, il crie… ?

   a. «Attention !»   b. «Ça alors !»

   c. «Cric !»   d. «Crac !»

14. Quand on dit «Ne t'en fais pas», le pronom **en** veut dire… ?

   a. là-bas   b. beaucoup

   c. de soucis   d. de joie

15. Qui était Cyrano de Bergerac ?

   a. un personnage d'une comédie de Molière b. un écrivain

   c. un homme politique   d. un astronaute

6-11. Culture : comparaisons

En général, aux États-Unis, il ne faut pas parler politique dans les situations sociales où on ne connaît pas très bien les gens, quoiqu'en France les discussions politiques soient plus acceptées. Faites une liste de trois ou quatre sujets politiques que vous trouvez inacceptables pour la conversation générale aux États-Unis. Ensuite, écrivez quelques phrases afin d'expliquer pourquoi ces sujets sont tabous aux États-Unis mais plus acceptables en France. Pourquoi cette différence culturelle existe-t-elle ?

6-12. Littérature : suite

Une enfance créole : chemin d'école de Patrick Chamoiseau

Imaginez comment la scène dans cette école sera différente quand un nouveau maître, moins ethnocentriste et plus ouvert aux cultures diverses, enseigne l'histoire du monde aux enfants martiniquais. Qu'est-ce que ce nouveau maître leur apprendra ? Jouez le rôle du nouveau maître et écrivez un paragraphe dans lequel vous parlez des événements historiques que vous enseignerez aux élèves.

7 À la maison au Sénégal

POUR RÉVISER

Activités orales

7-1. Comment dire : se plaindre

7-2. Comment dire : faire des reproches

7-3. Comment dire : exprimer le regret (dictée)

Activités écrites

7-4. Vocabulaire : l'écologie et la vie domestique

7-5. Structures : les prépositions

7-6. Structures : le conditionnel et le conditionnel passé

7-7. Vous rappelez-vous ? les verbes *manquer* et *plaire*

7-8. Recyclons ! les pronoms compléments d'objet et les pronoms adverbiaux

7-9. Culture : quiz culturel

7-10. Culture : comparaisons

7-11. Littérature : suite

■ **Activités orales**

7-1. Comment dire : se plaindre

Quand elle est à Dakar, sa ville natale, Aissatou Thibodeau sort souvent afin de rendre visite à des amis et des parents. Un jour, elle va chez sa cousine où tout le monde boit du thé et se plaint de sa vie. Écoutez chaque plainte. Écrivez le sujet de la plainte et puis indiquez si la réaction à la plainte est une réaction compréhensive ou sans compassion.

MODÈLE : Vous entendez : «Il y a des animaux dans mon jardin qui mangent toutes mes belles plantes. Mais ce n'est pas possible !»

— Écoute, tu exagères ! La vie, c'est comme ça.

Vous écrivez : _____ *des animaux mangent les plantes de son jardin* _____

Vous marquez : _____ *x* _____ sans compassion

1. Problème : _____

   Réaction : _____ compréhensive _____ sans compassion

2. Problème : _____

   Réaction : _____ compréhensive _____ sans compassion

3. Problème : _____

   Réaction : _____ compréhensive _____ sans compassion

4. Problème : _____

   Réaction : _____ compréhensive _____ sans compassion

7-2. Comment dire : faire des reproches

Rentrée chez elle, Aissatou se souvient de la conversation animée chez ses parents. Il y en avait qui se plaignaient sans cesse et il y en avait d'autres qui leur faisaient des reproches. Voici quelques phrases qu'elle y a entendues. Écoutez et répétez chaque phrase à haute voix, après le narrateur, en faisant attention à votre prononciation et à votre intonation. Ensuite, indiquez si la phrase est une plainte ou bien des reproches qu'on fait à quelqu'un.

Modèle : Vous entendez : «Mais de quoi te mêles-tu ? Occupe-toi de tes affaires !»

Vous répétez : — Mais de quoi te mêles-tu ? Occupe-toi de tes affaires !

Vous marquez : _____*x*_____ des reproches

1. _____ une plainte _____ des reproches

2. _____ une plainte _____ des reproches

3. _____ une plainte _____ des reproches

4. _____ une plainte _____ des reproches

5. _____ une plainte _____ des reproches

6. _____ une plainte _____ des reproches

7-3.   Comment dire : exprimer le regret (dictée)

Voici un extrait d'une lettre qu'Aissatou écrit à son fils à la Martinique. Vous allez entendre le paragraphe trois fois. La première fois, écoutez attentivement. La deuxième fois, le paragraphe sera lu plus lentement. En écoutant, écrivez chaque phrase exactement comme vous l'entendez. La troisième fois, écoutez encore en relisant ce que vous avez écrit pour vérifier votre transcription.

7-4. Vocabulaire : l'écologie et la vie domestique

Pendant leur séjour à Dakar, Claire et Jean-Louis profitent du beau temps afin de visiter quelques lieux touristiques. Voici quelques expressions qu'ils entendent au cours de leur visite. Quels autres mots de vocabulaire associez-vous à ces expressions ? Faites une liste de quatre ou cinq mots que vous associez aux expressions suivantes.

1. le climat désertique : _____

2. un beau jardin : _____

3. un village au bord de la mer : _____

4. un safari : _____

5. le déménagement : _____

6. un salon luxueux : _____

7-5. Structures : les prépositions

Décrivez la maison ou l'appartement où vous avez grandi : l'extérieur et l'intérieur. Faites attention à l'usage des prépositions !

_____

_____

_____

_____

_____

_____

_____

_____

_____

_____

_____

_____

_____

7-6. Structures : le conditionnel et le conditionnel passé

(a) *Aissatou parle de sa vie et de sa famille. Mettez les verbes entre parenthèses au conditionnel ou au conditionnel passé.*

AISSATOU : André et moi, nous sommes rencontrés à Paris où tous les deux, nous faisions des études universitaires. Je n'avais jamais l'intention de quitter Dakar, mais nous sommes tombés amoureux l'un de l'autre et nous avons dû prendre une décision. Si André avait trouvé un emploi, nous (rester) _____ à Paris, mais son père voulait qu'il travaille avec lui. Donc, nous nous sommes installés à Schœlcher. Je (vouloir) _____ rester à Paris ou bien retourner à Dakar, mais la décision était prise ! Je me suis adaptée facilement à la culture antillaise et nous avons eu trois enfants, des garçons. Je (aimer) _____ une fille, mais nous étions contents d'avoir trois enfants qui sont devenus des hommes respectables et prospères. L'aîné, Jacques, est le maire de Schœlcher et les deux autres ont suivi le chemin de leur père. Maintenant qu'André a plus de temps libre, nous pouvons voyager et passer du temps ici à Dakar. Nous (vouloir) _____ passer six mois ici et six mois là-bas, mais André (ne…pas/pouvoir) _____ se libérer pour six mois. Ce (être) _____ bien si mes fils pouvaient venir ici plus souvent aussi. Leurs enfants (s'amuser) _____ bien avec leurs cousins sénégalais et tout le monde (avoir) _____ le temps de se reposer et de se connaître. Mais que voulez-vous ? La vie n'est pas comme ça ! Il faut qu'on travaille et qu'on gagne sa vie.

(b) *Que feriez-vous si on vous offrait un emploi à Dakar qui commencerait le lendemain du jour où vous recevriez votre diplôme universitaire ? C'est l'emploi de vos rêves avec un bon salaire. Imaginez ce scénario et écrivez vos réponses aux questions suivantes.*

1. Comment prendriez-vous cette décision ? À qui parleriez-vous ? Quelles questions poseriez-vous ? _____

   _____

   _____

   _____

2. Accepteriez-vous l'emploi ? Pourquoi ou pourquoi pas ? _____

   _____

   _____

   _____

3. Disons que vous décidez d'accepter l'emploi. Partiriez-vous seul(e) ou avec quelqu'un ? Comment trouveriez-vous un appartement à Dakar ? _____

   _____

   _____

   _____

4. Vous vous installez à Dakar, mais vos amis aux États-Unis vous manquent. Combien de fois par an retourneriez-vous en Amérique ? Que feriez-vous pendant ces séjours ? _____

   _____

   _____

   _____

5. Bien sûr, vous voulez inviter des gens à Dakar. Qui inviteriez-vous ? Que feriez-vous lors de leur visite ? _____

   _____

   _____

   _____

7-7. Vous rappelez-vous ? les verbes *manquer* et *plaire*

Imaginons que vous travaillez à Dakar. Évidemment, il y a des choses qui vous manquent et des choses qui vous plaisent. Répondez aux questions suivantes en employant les verbes **manquer** *et* **plaire***. Faites des phrases complètes.*

1. Qu'est-ce qui ou qui est-ce qui vous manque à Dakar ? Nommez au moins trois choses et trois personnes et expliquez pourquoi. _____

_____

_____

_____

_____

_____

_____

_____

_____

_____

_____

_____

2. Qu'est-ce qui vous plaît dans cette nouvelle vie à Dakar ? Nommez au moins trois choses et dites pourquoi. _____

_____

_____

_____

_____

_____

_____

_____

_____

_____

_____

_____

_____

_____

_____

7-8. Recyclons ! les pronoms compléments d'objets et les pronoms adverbiaux

Nous voulons en savoir plus sur votre vie imaginaire à Dakar. Répondez aux questions suivantes en employant autant de pronoms compléments d'objets et de pronoms adverbiaux que possible !

1. Iriez-vous souvent à la plage ou resteriez-vous en ville ? Pourquoi ? _____

    _____

    _____

2. Auriez-vous encore une maison aux États-Unis ? Où ? _____

    _____

    _____

3. Parleriez-vous de la culture américaine à vos nouveaux collègues ? Que diriez-vous ? _____

    _____

    _____

4. Enverriez-vous des cadeaux sénégalais à vos amis américains ? Comme quoi ? _____

    _____

    _____

5. Aimeriez-vous visiter d'autres pays africains ? Lesquels ? _____

    _____

    _____

6. Auriez-vous apporté votre livre de français à Dakar ? Pourquoi ou pourquoi pas ? _____

    _____

    _____

7-9. Culture : quiz culturel

Que savez-vous déjà ? Répondez aux questions suivantes.

1. La capitale du Sénégal est… ?

    a. Saint-Louis   b. Dakar

    c. Gorée   d. Senghorville

2. Les langues officielles du Sénégal sont le français et… ?

    a. l'anglais   b. l'arabe

    c. l'africain   d. le wolof

3. La religion majoritaire au Sénégal est… ?

    a. l'animisme   b. le catholicisme

    c. l'islam   d. le vaudou

4. Les Français ont commencé à coloniser l'Afrique occidentale vers la fin du… ?

    a. 16ème siècle   b. 17ème siècle

    c. 18ème siècle   d. 19ème siècle

5. Qui était le premier président du Sénégal ?

    a. Léopold Sédar Senghor   b. Napoléon III

    c. Aimé Césaire   d. Biragio Diop

6. Lequel n'est pas un problème au Sénégal aujourd'hui ?

    a. le chômage   b. la discrimination contre les femmes

    c. la diversité culturelle   d. l'analphabétisme

7. Lequel n'est pas un arbre qu'on trouverait au Sénégal ?

    a. le sapin   b. le papayer

    c. le cocotier   d. le baobab

8. Lequel des animaux suivants ne vit pas dans l'océan atlantique ?

   a. le renard

   b. le requin

   c. le phoque

   d. la baleine

9. Une grande fleur jaune avec un centre noir et des pépins (*seeds*) mangeables est… ?

   a. la bougainvillée

   b. le houx

   c. le tournesol

   d. la rose

10. Claire adore les masques africains. Alors… ?

    a. elle leur manque

    b. elle leur plaît

    c. ils lui manquent

    d. ils lui plaisent

11. Quand on veut des vêtements propres, on doit… ?

    a. faire la vaisselle

    b. faire la lessive

    c. épousseter

    d. passer l'aspirateur

12. Dans un salon élégant, on ne trouverait pas de… ?

    a. canapé

    b. moquette

    c. fauteuil

    d. évier

13. Un verre fabriqué de plastique, qu'on utilise normalement pour boire du vin, et qui est rempli de vin est… ?

    a. un verre à vin

    b. un verre de vin

    c. un verre en plastique

    d. toutes ces réponses sont possibles

14. Pour reprocher à quelqu'un une faute, on ne pourrait pas dire… ?

    a. Pour qui te prends-tu !

    b. N'exagérons pas !

    c. J'aurais dû te le dire !

    d. Tu aurais pu me le dire !

15. Le contraire de «devant la maison» est… ?

    a. dans la maison

    b. hors de la maison

    c. derrière la maison

    d. au-dessus de la maison

7-10. Culture : comparaisons

En Afrique de l'ouest, le baobab est un arbre qui est associé à la culture et à la vie spirituelle de plusieurs groupes ethniques africains. Pouvez-vous penser à un phénomène semblable dans votre culture ? Y a-t-il quelque chose dans votre environnement qui est important à votre culture ? Décrivez le rôle de cette chose dans votre culture et comparez-le au rôle du baobab dans les cultures africaines.

_____

_____

_____

_____

_____

_____

_____

_____

_____

_____

_____

_____

_____

_____

7-11. Littérature : suite

Une si longue lettre de Miriama Bâ

Imaginez comment serait le dîner à Sangalkam, avec de l'agneau grillé et des fruits exotiques, où les personnes invitées se plaignent de leurs vies stressées à Dakar et s'émerveillent des beautés de la nature. Évidemment, ils regrettent de ne pas pouvoir passer plus de temps à la campagne. Imaginez un petit dialogue entre deux personnages.

_____

_____

_____

_____

_____

_____

_____

_____

_____

_____

_____

_____

_____

_____

_____

_____

8 Un tableau suisse

■ **Activités orales**

8-1. Comment dire : apprécier et critiquer

Vous êtes dans un grand musée d'art aux États-Unis et il y a un groupe de touristes suisses francophones. Vous écoutez lorsqu'ils parlent des œuvres d'art. Voici quelques phrases que vous entendez. Écoutez et répétez chaque phrase à haute voix, après le narrateur, en faisant attention à votre prononciation et à votre intonation. Ensuite, indiquez si la phrase exprime une opinion favorable ou non-favorable envers l'œuvre en question.

MODÈLE : Vous entendez : «Regarde cette peinture. C'est pleine d'originalité !»

Vous répétez : — Regarde cette peinture. C'est pleine d'originalité !

Vous marquez : _____x_____ opinion favorable

1. _____ opinion favorable   _____ opinion non-favorable

2. _____ opinion favorable   _____ opinion non-favorable

3. _____ opinion favorable   _____ opinion non-favorable

4. _____ opinion favorable   _____ opinion non-favorable

5. _____ opinion favorable   _____ opinion non-favorable

6. _____ opinion favorable   _____ opinion non-favorable

8-2. Comment dire : s'opposer à quelqu'un/quelque chose

Un des touristes est très opiniâtre. Vous n'êtes pas d'accord avec son appréciation des œuvres et vous vous opposez à son opinion. Écoutez chacune de ses opinions et dites le contraire, à haute voix, en vous servant des expressions données. Ensuite, répétez notre version d'une opinion contraire, après le narrateur, en faisant attention à votre prononciation et à votre intonation.

Modèle : Vous entendez : «Ce tableau est plus beau que celui de Monet.» (*Au contraire*)

Vous dites : — Au contraire, celui de Monet est plus beau que ce tableau.

Vous entendez : «Au contraire, celui de Monet est plus beau que celui-ci.»

Vous répétez : — Au contraire, celui de Monet est plus beau que celui-ci.

1. Loin de là…

2. Contrairement à ce que vous pensez…

3. Malgré ce que vous dites…

4. Ai-je bien entendu ?…

5. Mais vous plaisantez !…

8-3. Comment dire : établir une hypothèse (dictée)

Voici un extrait d'une carte postale qu'un des touristes suisses a écrite à son ami genevois. Vous allez entendre le paragraphe trois fois. La première fois, écoutez attentivement. La deuxième fois, le paragraphe sera lu plus lentement. En écoutant, écrivez chaque phrase exactement comme vous l'entendez. La troisième fois, écoutez encore en relisant ce que vous avez écrit pour vérifier votre transcription.

_____

_____

_____

_____

_____

_____

_____

_____

_____

_____

_____

_____

_____

_____

8-4. Vocabulaire : les arts

Pendant leur séjour aux États-Unis, les touristes suisses visitent beaucoup de musées. Voici quelques expressions qu'ils entendent au cours de leur visite. Quels autres mots de vocabulaire associez-vous à ces expressions ? Faites une liste de quatre ou cinq mots que vous associez aux expressions suivantes.

1. l'impressionisme : _____

2. une exposition : _____

3. le romantisme : _____

4. un concert : _____

5. l'art moderne : _____

8-5. Structures : le comparatif

Vous discutez avec les touristes suisses dans le café du musée. Ils commencent à comparer leur pays avec les États-Unis. Faites des phrases logiques à partir des éléments donnés. N'oubliez pas de faire l'accord entre nom et adjectif. Utilisez le comparatif.

MODÈLE : la Suisse/les États-Unis : grand

La Suisse est moins grande que les États-Unis.

1. les fromages suisses/les fromages américains : bon

   _____

2. les femmes suisses/les femmes américaines : s'habiller bien

   _____

3. le ski aux Alpes/le ski aux Montagnes Rocheuses (*the Rockies*) : amusant

   _____

4. le lac Léman/les Grands Lacs : pittoresque

   _____

5. les maisons suisses/les maisons américaines : vieux

   _____

8-6. Structures : le superlatif

Les Suisses commencent à faire l'éloge de leur pays et parlent en phrases superlatives. Faites des phrases logiques à partir des éléments donnés. N'oubliez pas de faire l'accord entre nom et adjectif. Utilisez le superlatif.

Modèle : le Jet d'eau/site touristique/original

Le Jet d'eau est le site touristique le plus original du monde !

1. les Alpes/montagnes/beau

   _____

   _____

2. le Lac Léman/plages/paisible

   _____

   _____

3. les auteurs suisses/écrire/livres/touchant

   _____

   _____

4. Genève/ville/propre

   _____

   _____

5. les banques suisses/banques/bien protégé

   _____

   _____

8-7. Structures : les phrases de condition

(a) *Les touristes suisses vous parlent de leur voyage. Le serveur, un Américain qui parle français, inter-*
vient dans la conversation. Conjuguez les verbes entre parenthèses à un temps qui convient.

RODOLPHE : Si nous pouvions, nous (rester) _____ aux États-Unis une

semaine de plus. Si notre agent de tourisme ne nous avait pas conseillé de

limiter notre voyage à dix jours, nous (décider) _____ de

passer trois semaines ici.

JEANNINE : Nous voulons voir tous les sites importants. Ce (être) _____

dommage d'en manquer quelques–uns. Ah ! Si seulement je (savoir)

_____ !

RODOLPHE : Mais, il est impossible de tout voir ! Si ce pays était moins grand, ce (être)

_____ plus facile ! Mais dites-moi. Si vous étiez à notre

place et vous n'aviez qu'une semaine à passer aux États-Unis, où est-ce

que vous (aller) _____ ?

LE SERVEUR : Si j'étais à votre place, je (louer) _____ une voiture et je (tra-

verser) _____ le pays d'une côte à l'autre. Si vous faisiez cela,

vous (apprendre) _____ beaucoup plus sur notre culture.

RODOLPHE : Mais, c'est impossible. Même si nous avions pensé à louer une voiture,

nous (ne… pas/pouvoir) _____ le faire. Nous n'avons pas

de permis de conduire !

(b) *Les touristes suisses vous posent des questions. Écrivez vos réponses aux questions suivantes en employant le temps de verbe qui convient.*

1. Si vous étiez à la place de ces touristes, qui ont une semaine pour voyager aux États-Unis, qu'est-ce que vous feriez ? Où iriez-vous ? Pourquoi ? _____

   _____

   _____

   _____

   _____

2. Si, un jour, vous allez en Suisse, que ferez-vous ? Où irez-vous ? _____

   _____

   _____

   _____

   _____

3. Si vous n'aviez pas décidé d'étudier le français cette année, quelle autre langue auriez-vous aimé apprendre ? Pourquoi ? _____

   _____

   _____

   _____

   _____

8-8. Vous rappelez-vous ? les verbes irréguliers au présent

Au musée où vous avez rencontré les touristes suisses, il y a une exposition d'art vivant : trois peintres qui peignent le même sujet, en même temps, mais de trois styles différents. C'est comme une compétition. Vous y allez avec les Suisses qui décrivent la scène. Choisissez parmi les verbes suivants et remplissez les blancs en conjuguant les verbes au présent. Vous pouvez utiliser quelques verbes plus d'une fois.

peindre, feindre, atteindre, dépeindre

RODOLPHE : Voilà les trois peintres. Ils _____ ce bol de fruits sur la table. Le

premier _____ le bol de fruits avec des couleurs vives et des

formes géométriques à la façon de Picasso. Le deuxième _____

le bol selon le mode surréaliste avec des fruits qui fondent comme les montres

de Dalí. Le troisième fait semblant d'être un peintre français. Avec son béret et

sa moustache, il _____ d'être un peintre célèbre comme Monet

ou Renoir. Sa peinture _____ le bol de fruits selon un style

impressionniste. Les trois tableaux sont intéressants, mais un seul peintre sera

le gagnant. Qui ? Voyons, c'est le deuxième qui _____ la gloire !

La compétition a été très serrée !

8-9. Recyclons ! le subjonctif et le subjonctif passé

Vous continuez de parler de la compétition avec les Suisses. Voici quelques–unes de leurs exclamations. N'oubliez pas qu'on emploie parfois le subjonctif avec des phrases superlatives quand il y a une opinion subjective. Mettez les verbes entre parenthèses au subjonctif ou au subjonctif passé.

1. Ce musée est le musée le plus amusant qui (être) _____ !

2. Cette compétition est la compétition la plus bizarre que je (voir/jamais) _____ imaginer !

3. Les États-Unis sont le pays le plus diversifié qu'on (pouvoir) _____ visiter !

4. L'art moderne est le mouvement artistique le moins compréhensible qu'on (inventer/jamais) _____ !

5. Vous êtes la personne la plus sympathique que nous (avoir/jamais) _____ la chance de rencontrer jusqu'ici !

8-10. Culture : quiz culturel

Que savez-vous déjà ? Répondez aux questions suivantes.

1. Quelle est la capitale de la Suisse ?

   a. Genève   b. Berne

   c. Lausanne   d. Zurich

2. La Confédération helvétique est… ?

   a. un ancien nom pour la Suisse   b. le nom des cantons francophones

   c. un autre nom pour la Suisse   d. le nom des cantons où on parle allemand

3. Laquelle de ces villes n'est pas majoritairement francophone ?

   a. Genève   b. Neuchâtel

   c. Berne   d. Lausanne

4. Combien de cantons y a-t-il en Suisse aujourd'hui ?

   a. 10   b. 22

   c. 26   d. 50

5. Napoléon Bonaparte s'est nommé empereur de la France en quelle année ?

   a. 1804   b. 1815

   c. 1834   d. 1914

6. Napoléon Bonaparte est né sur quelle île ?

   a. la Martinique   b. la Corse

   c. Haïti   d. l'île d'Elbe

7. En Suisse, pour dire le chiffre «75», on dirait… ?

   a. soixante-cinq   b. soixante-quinze

   c. septante-cinquante   d. septante-cinq

8. Qu'est-ce qu'une «raclette» ?

    a. un plat de fromage fondu   b. un instrument suisse

    c. un équipement sportif   d. un type de peinture suisse

9. Lequel de ces mouvements n'est pas un mouvement artistique ?

    a. le romantisme   b. l'expressionnisme

    c. le colonialisme   d. l'impressionnisme

10. Une esquisse est une œuvre artistique produite, normalement, en utilisant… ?

    a. des crayons et du papier   b. de l'encre et du bois coupé

    c. des aquarelles et du papier   d. des morceaux de céramique

11. Laquelle des œuvres suivantes n'est pas un tableau ?

    a. les *Nymphéas*   b. le *Portrait de l'artiste à l'oreille coupée*

    c. le *Penseur*   d. les *Demoiselles d'Avignon*

12. Magritte est un peintre belge dont l'œuvre est… ?

    a. impressionniste   b. expressionniste

    c. symboliste   d. surréaliste

13. Genève est une ville connue pour… ?

    a. sa neutralité politique   b. ses horlogers

    c. ses sièges d'organisations internationales   d. toutes ces réponses sont valables

14. Pour une fondue on peut utiliser… ?

    a. du fromage   b. de la viande

    c. du chocolat   d. toutes ces réponses sont valables

15. Pour montrer qu'on aime quelque chose, on ne peut pas dire…

    a. C'est vraiment frappant !   b. C'est vraiment moche !

    c. Comme c'est original !   d. Comme c'est éblouissant !

8-11. Culture : comparaisons

La Suisse est un pays plurilangue. Faites une liste des langues parlées en Suisse et écrivez une ou deux phrases afin d'expliquer pourquoi ces langues y sont parlées. Ensuite, faites une liste des langues parlées aux États-Unis et décrivez pourquoi ces langues y sont parlées. Ensuite, comparez le nombre de langues parlées et les raisons pour lesquelles on les parle dans chacun des deux pays. Quelles sont les différences et comment est-ce que ces différences influencent l'attitude des habitants de chaque pays envers le bilinguisme ou le multilinguisme ?

_____

_____

_____

_____

_____

_____

_____

_____

_____

_____

_____

_____

_____

_____

8-12. Littérature : suite

Corinne ou l'Italie de Germaine de Staël

Imaginez une conversation entre Corinne et Oswald au musée du Vatican. Évidemment, Corinne apprécie beaucoup la passion calme et héroïque des sculptures grecques. Oswald, mal à l'aise, trouve les sculptures trop bouleversantes (upsetting) et critique leur style. Il préfère la peinture des paysages. Imaginez un petit dialogue entre les deux personnages.

9 Une affaire provençale

POUR RÉVISER

Activités orales

9-1. Comment dire : diminuer ou accentuer l'importance d'un fait

9-2. Comment dire : s'expliquer (dictée)

9-3. Comment dire : exprimer une obligation

Activités écrites

9-4. Vocabulaire : les affaires

9-5. Structures : les pronoms relatifs

9-6. Structures : la voix passive et la voix active

9-7. Vous rappelez-vous ? l'usage du verbe *devoir*

9-8. Recyclons ! les phrases de condition

9-9. Culture : quiz culturel

9-10. Culture : comparaisons

9-11. Littérature : suite

■ **Activités orales**

9-1. Comment dire : diminuer ou accentuer l'importance d'un fait

Vous êtes en Provence en voyage d'affaires. Vous écoutez lorsque Hervé, un de vos collègues, parle des problèmes qu'il a rencontrés en attirant un nouveau client. Voici quelques phrases que vous entendez. Écoutez et répétez chaque phrase à haute voix, après le narrateur, en faisant attention à votre prononciation et à votre intonation. Ensuite, indiquez si la personne a diminué ou accentué l'importance de ce qu'il a fait.

MODÈLE : Vous entendez : «J'ai mal prononcé son nom. Mais il n'y avait pas de mal !»

Vous répétez : — J'ai mal prononcé son nom. Mais il n'y avait pas de mal !

Vous marquez : _____*x*_____ diminué

1. _____ diminué   _____ accentué

2. _____ diminué   _____ accentué

3. _____ diminué   _____ accentué

4. _____ diminué   _____ accentué

5. _____ diminué   _____ accentué

6. _____ diminué   _____ accentué

9-2. Comment dire : s'expliquer (dictée)

Voici un extrait d'une lettre d'affaires que vous avez reçue du PDG de votre compagnie. Vous allez entendre le paragraphe trois fois. La première fois, écoutez attentivement. La deuxième fois, le paragraphe sera lu plus lentement. En écoutant, écrivez chaque phrase exactement comme vous l'entendez. La troisième fois, écoutez encore en relisant ce que vous avez écrit pour vérifier votre transcription.

9-3. Comment dire : exprimer une obligation

Votre collègue Hervé est dans le bureau de son patron où il promet d'améliorer sa performance profession-nelle. Écoutez chacune de ses phrases et répétez-la à haute voix, en ajoutant les expressions indiquées. Répétez encore après le narrateur en faisant attention à votre prononciation et à votre intonation.

Modèle : Vous entendez : «Je promets de faire attention à bien prononcer les noms des clients» (Je vous le garantis !)

Vous dites : — Je promets de faire attention à bien prononcer les noms des clients. Je vous le garantis !

Vous entendez : «Je promets de faire attention à bien prononcer les noms des clients. Je vous le garantis !»

Vous répétez : — Je promets de faire attention à bien prononcer les noms des clients. Je vous le garantis !

1. Pas moyen de faire autrement.

2. Soyez sans crainte, je le ferai.

3. Vous pouvez compter sur moi.

4. Je ferai tout ce que je dois faire.

5. Je vous donne ma parole.

9-4. Vocabulaire : les affaires

Pendant votre voyage en Provence, vous entendez plusieurs expressions qui se rapportent au monde des affaires. Quels autres mots de vocabulaire associez-vous à ces expressions ? Faites une liste de quatre ou cinq mots que vous associez aux expressions suivantes.

1. la grève : _____

_____

2. le siège d'une entreprise : _____

_____

3. la bourse : _____

_____

4. le marketing : _____

_____

5. la technologie : _____

_____

9-5. Structures : les pronoms relatifs

(a) *Vous écrivez un rapport pour votre patron et vous voulez faire des phrases sophistiquées. Reliez les deux phrases données en employant un pronom relatif.*

MODÈLE : J'ai parlé à des clients. Les clients s'intéressent à nos produits.

J'ai parlé à des clients *qui* s'intéressent à nos produits.

1. J'ai fait une liste de produits. Les clients ont besoin de ces produits.

   _____

2. Nous jouissons d'une réputation aux États-Unis. La réputation est bonne.

   _____

3. J'ai un ordinateur. Je travaille sur l'ordinateur cinq heures par jour.

   _____

4. Je fais de la recherche sur nos compétiteurs. Nos compétiteurs sont nombreux.

   _____

5. Il y a plusieurs produits nouveaux. Nous devons étudier ces produits.

   _____

6. J'aime bien travailler chez moi. Chez moi, il n'y a pas de distractions.

   _____

7. J'ai parlé à des clients. Ces clients voudraient renouveler leurs commandes.

   _____

8. Je travaille le plus souvent avec une équipe. C'est l'équipe du marketing.

   _____

(b) *Il y a un nouveau stagiaire (intern) dans le bureau. C'est son premier emploi dans un milieu professionnel et il vous interrompt avec beaucoup de questions. Décrivez pour lui ce que sont les choses suivantes en employant un pronom relatif.*

Modèle : un comptable (une personne)

C'est une personne qui s'occupe de l'argent que l'on dépense et que l'on gagne.

1. le PDG (une personne) _____

_____

2. un fax (une machine) _____

_____

3. la bourse (un lieu) _____

_____

4. des photocopies (des documents) _____

_____

5. une organisation à but non-lucratif (une organisation) _____

_____

6. un FAI (une compagnie) _____

_____

9-6. Structures : la voix passive et la voix active

Vous retournez au rapport que vous écrivez et vous remarquez que vous avez trop souvent employé la voix passive. Corrigez vos phrases en les mettant à la voix active.

MODÈLE : Les comptes ont été réglés par moi.
J'ai réglé les comptes.

1. Les documents ont été classés par le stagiaire.

   _____

2. Nos produits sont vendus dans dix grands magasins américains.

   _____

3. Les publicités ont été publiées dans les journaux par l'équipe du marketing.

   _____

4. Beaucoup de questions seront posées par nos clients.

   _____

5. Des rabais intéressants devraient être offerts aux clients fidèles.

   _____

9-7. Vous rappelez-vous ? l'usage du verbe *devoir*

*Le patron est fâché contre votre pauvre collègue Hervé qui continue de faire des bêtises. Voici ce qu'il lui dit. Remplissez les blancs avec une conjugaison du verbe **devoir** à un temps convenable.*

LE PATRON : Mais vous _____ être fou ! Je vous ai dit que tout ce que vous

_____ faire c'était de téléphoner à Monsieur Arnaud et de lui

dire combien il nous _____ pour le chargement (*shipment*)

que nous lui avons envoyé hier. Mais, vous, vous _____ tou-

jours vous tromper. Enfin, j'imagine que vous _____ vous

tromper parce que vous lui avez indiqué une somme qui est le triple de la

somme qu'il _____ payer ! Ce n'est pas possible ! J'en ai assez

de vos erreurs !

9-8. Recyclons ! les phrases de condition

Votre collègue a de sérieux problèmes. Il réfléchit à ses possibilités en ce qui concerne son avenir. Mettez les verbes entre parenthèses à un temps convenable.

1. Si le patron me renvoie, je (partir) _____ sans me plaindre. Avouons-le, je ne suis pas fait pour les affaires !

2. Mais, s'il me donne la possibilité de réparer ma faute, je lui (promettre) _____ de ne plus faire des bêtises.

3. Je ferais de mon mieux s'il m'en (donner) _____ l'occasion.

4. S'il n'avait pas été si exigeant, je (ne... pas/être) _____ si nerveux au travail.

5. Mais vraiment, si je devais choisir une autre carrière, je (choisir) _____ d'être acteur... ou au moins comédien !

9-9. Culture : quiz culturel

Que savez-vous déjà ? Répondez aux questions suivantes.

1. La Provence est… ?

   a. une région en France

   b. une ville dans le sud de la France

   c. un département d'outre-mer

   d. tout ce qui n'est pas la région parisienne

2. Qu'est-ce qu'on peut trouver en Provence ?

   a. des plages

   b. des vignobles

   c. des ruines romaines

   d. toutes ces réponses sont valables

3. Quel endroit n'est pas en Provence ?

   a. Cannes

   b. Coppet

   c. la Camargue

   d. la Côte d'Azur

4. La Provence s'est unie à la France sous Charles VII en quelle année ?

   a. 1377

   b. 1487

   c. 1804

   d. 1946

5. Laquelle n'est pas une région en France ?

   a. Bordeaux

   b. Champagne

   c. Bretagne

   d. Alsace

6. En Camargue, on ne trouverait pas… ?

   a. de taureaux sauvages

   b. de chevaux sauvages

   c. de singes sauvages

   d. de marécages

7. Quel auteur a gagné un prix Nobel pour ses poèmes en provençal ?

   a. Alfred de Vigny

   b. Alphonse Daudet

   c. Frédéric Mistral

   d. Jean de La Fontaine

8. Le provençal est… ?

    a. une langue d'oc   b. une langue romane

    c. une langue d'ouï   d. les réponses (a) et (b) sont valables

9. Qui a plus de responsabilités dans une société ?

    a. le secrétaire   b. le technicien

    c. le gérant   d. le directeur-général

10. Si on veut investir son argent dans une société anonyme, on achète… ?

    a. des marques   b. des actions

    c. des bénéfices   d. la bourse

11. Si on est en France avec une carte bancaire et on veut retirer de l'argent de son compte, on cherche… ?

    a. le SMIC   b. l'EDF

    c. un DAB   d. un OVNI

12. Le sigle PNB veut dire… ?

    a. produit national brut   b. produit normal de bénéfices

    c. presse non-bénévole   d. presse nationale bilingue

13. Laquelle des phrases suivantes est une litote ?

    a. «Pas de panique»   b. «Soyez sans crainte»

    c. «Je ne le déteste pas»   d. «Je te le promets»

14. L'expression «entre chien et loup» se dit pour décrire quel moment de la journée… ?

    a. midi   b. le lever du soleil

    c. minuit   d. le coucher du soleil

15. Si vous assistiez à une corrida, vous verriez quel type d'animaux ?

    a. des lions   b. des chèvres

    c. des loups   d. des taureaux

9-10. Culture : comparaisons

Est-ce que l'idée du régionalisme existe aux États-Unis ? Quels sont les caractéristiques de votre région ? Peut-on lier les traditions régionales à l'histoire de la région ? Comparez votre région et ses problèmes à la région provençale et sa situation vis-à-vis de la culture française ou même de la culture européenne. Y a-t-il des différences ou des similarités ?

9-11. Littérature : suite

Lettres de mon moulin d'Alphonse Daudet

Imaginez une rencontre entre le narrateur (Daudet) et son ami, l'écrivain Gringoire, qui était le destinataire de son conte. Un mois s'est écoulé après que Gringoire a reçu la lettre et le conte de Daudet. Est-ce que Gringoire a suivi les conseils de son ami ou non ? Est-il reconnaissant ou fâché ? Écrivez un petit dialogue entre les deux personnages.

_____

_____

_____

_____

_____

_____

_____

_____

_____

_____

_____

_____

_____

_____

_____

_____

10 *De retour au Québec*

■ **Activités orales**

10-1. Comment dire : exprimer les émotions

Vous êtes au Québec pour les jeux Olympiques d'hiver. Vous écoutez les interviews des joueurs sportifs à la télé dans votre chambre d'hôtel. Écoutez les descriptions des émotions des joueurs. Répétez chaque réplique après le narrateur, en faisant attention à votre prononciation et à votre intonation. Ensuite, indiquez de quelle émotion il s'agit en soulignant la bonne réponse.

MODÈLE : Vous entendez : «Quel bonheur ! Je suis en pleine forme.»

      Vous répétez : — Quel bonheur ! Je suis en pleine forme.

      Vous marquez : ____*le bonheur*____

1. le bonheur   la tristesse   le choc   la peur   la colère

2. le bonheur   la tristesse   le choc   la peur   la colère

3. le bonheur   la tristesse   le choc   la peur   la colère

4. le bonheur   la tristesse   le choc   la peur   la colère

5. le bonheur   la tristesse   le choc   la peur   la colère

6. le bonheur   la tristesse   le choc   la peur   la colère

7. le bonheur   la tristesse   le choc   la peur   la colère

8. le bonheur   la tristesse   le choc   la peur   la colère

10-2. Comment dire : conclure une histoire (dictée)

Voici un extrait de la fin d'une longue lettre qu'une amie québécoise vous a écrite et dans laquelle elle parle de son divorce. Vous allez entendre le paragraphe trois fois. La première fois, écoutez attentivement. La deuxième fois, le paragraphe sera lu plus lentement. En écoutant, écrivez chaque phrase exactement comme vous l'entendez. La troisième fois, écoutez encore en relisant ce que vous avez écrit pour vérifier votre transcription.

_____

_____

_____

_____

_____

_____

_____

_____

_____

_____

_____

_____

_____

10-3. Vocabulaire : la santé et les sports

Pendant votre voyage au Québec, vous entendez beaucoup de gens qui parlent des sports et de la santé. Terminez les phrases suivantes avec des mots de vocabulaire appropriés.

1. Si on aime la neige, on peut faire beaucoup de sports, comme _____,

   _____, _____ ou même _____.

2. Par contre, ceux qui préfèrent les sports nautiques devraient essayer _____,

   _____, _____ ou bien _____.

3. Personnellement, comme spectateur, je préfère regarder des sports d'équipe. J'adore

   regarder les matchs de _____, de _____ ou de

   _____.

4. On sait si on a la grippe quand on souffre de quelques-uns des symptômes suivants :

   _____, _____, _____ ou _____.

5. Il y a des médecins pour chaque équipe aux jeux Olympiques. Ils ont tous les remèdes à

   tout mal possible. Si vous êtes enrhumé, ils ont _____ et _____.

   Si vous vous cassez la jambe, ils ont _____ et _____.

10-4. Structures : les adjectifs et pronoms indéfinis

Vous écoutez lorsque les compétitions sportives continuent. Voici quelques observations que vous entendez des autres spectateurs. Récrivez les phrases en substituant un pronom indéfini à l'expression en caractères gras.

Modèle : **Chaque skieur** sait ce qu'il doit faire.

_____*Chacun*_____ **sait ce qu'il doit faire.**

1. **Quelques joueurs** de hockey sont blessés.

   _____

2. **Tous les spectateurs** s'attendent à un bon match.

   _____

3. Respecter les règles est la responsabilité de **chaque individu.**

   _____

4. J'irais à **n'importe quelle ville** afin d'assister aux jeux Olympiques.

   _____

5. **Toutes les routes** mènent aux pistes de ski.

   _____

6. Je veux voir **chaque événement.**

   _____

7. Il est évident que **plusieurs juges** ont voté contre les patineuses américaines.

   _____

8. Je connais **quelques patineuses** qui sont ici.

   _____

10-5. Structures : le discours indirect

Il y a du monde dans tous les restaurants à Québec. Vous y allez avec de nouveaux amis québécois, mais vous n'arrivez pas à entendre les gens qui sont assis de l'autre côté de la table. Vous demandez à votre voisin de répéter ce que les autres disent. Récrivez les phrases en employant le discours indirect.

MODÈLE : «Ce restaurant est un bon choix.»

Elle a dit que ce restaurant était un bon choix.

1. «Regardons les menus !»

   Ils ont dit de _____

2. «Il faut essayer un plat québécois.»

   Elle dit que _____

3. «Prendrez-vous du vin ?»

   Il a demandé si _____

4. «Nous vous offrons une bouteille.»

   Elle a ajouté que _____

5. «L'équipe canadienne a fait un bon effort aujourd'hui.»

   Ils ont insisté que _____

6. «Je préférerais assister aux jeux d'été.»

   Elle a avoué que _____

7. «Nous y irons un jour.»

   Il a répondu que _____

8. «L'équipe canadienne est la meilleure !»

   Tout le monde a affirmé que _____

10-6. Vous rappelez-vous ? les verbes irréguliers

Voici quelques personnages historiques célèbres au Québec. Écrivez une phrase pour décrire la vie de chaque personne. Utilisez chaque expression de la liste suivante une fois seulement afin de varier votre façon de décrire les dates de naissance et de mort de chaque personne.

naître, venir au monde, arriver au monde, mourir, décéder, expirer

1. Jacques Cartier, explorateur (1491-1557) _____

_____

_____

_____

2. Samuel de Champlain, colonisateur (1567-1635) _____

_____

_____

_____

3. Marie de l'Incarnation, religieuse et fondatrice du couvent des Ursulines (1599–1672) _____

_____

_____

_____

10-7. Recyclons ! les pronoms relatifs

Il y a beaucoup d'enfants qui assistent aux compétitions sportives des jeux Olympiques. Quelques–uns vous posent des questions à propos des sports américains. Décrivez pour eux ce que sont les choses suivantes en employant un pronom relatif.

Modèle : un entraîneur (une personne)

C'est une personne qui aide les joueurs à améliorer leur performance sportive.

1. une piscine (un lieu) _____

_____

2. un VTT (une bicyclette) _____

_____

3. un stade (un lieu) _____

_____

4. des patins (des chaussures) _____

_____

5. des béquilles (des bâtons) _____

_____

6. une casquette de baseball (un chapeau) _____

_____

10-8. Culture : quiz culturel

Que savez-vous déjà ? Répondez aux questions suivantes.

1. La capitale de la province de Québec est… ?

   a. Québec

   b. Montréal

   c. Ottawa

   d. Gaspé

2. Le premier explorateur français à parcourir le Québec était… ?

   a. Samuel de Champlain

   b. Jacques Cartier

   c. Paul de Comedey

   d. Louis XIV

3. La bataille entre les Français et les Anglais sur les Plaines d'Abraham a eu lieu en… ?

   a. 1980 et 1995

   b. 1960

   c. 1838

   d. 1759

4. La Révolution tranquille était… ?

   a. une guerre sanglante

   b. un mouvement artistique

   c. une renaissance culturelle et politique

   d. une pièce de théâtre

5. Lequel n'est pas un sport d'hiver ?

   a. le ski de fond

   b. la planche à voile

   c. le patinage

   d. la raquette de neige

6. Lequel n'est pas un symptôme typique de la grippe ?

   a. de la fièvre

   b. une toux

   c. un mal de tête

   d. mal à la cheville

7. Pour diminuer les symptômes d'une allergie, il faut… ?

   a. un plâtre

   b. un comprimé

   c. des béquilles

   d. être hospitalisé(e)

8. Combien de nations autochtones existaient au Québec avant l'arrivée des Européens ?

   a. dix

   b. onze

   c. trois

   d. vingt

9. Laquelle de ces industries n'était pas une industrie principale au Québec aux 16ème et 17ème siècles ?

   a. la traite de la fourrure

   b. le commerce du sirop d'érable

   c. la pêche

   d. la chasse à baleine

10. Dans quelle autre province canadienne trouve-t-on un grand nombre de francophones ?

    a. l'Ontario

    b. le Nouveau-Brunswick

    c. la Colombie britannique

    d. les réponses (a) et (b) sont valables

11. Qu'est-ce que Pierre de Coubertin a fait ?

    a. Il a fondé la ville de Montréal

    b. Il a écrit le premier grand roman québécois

    c. Il a rénové les jeux Olympiques

    d. Il a gagné une médaille d'or aux jeux Olympiques

12. Pour montrer votre tristesse, vous pouvez dire… ?

    a. Je suis ravi(e)

    b. Quel cauchemar

    c. Tout va à merveille

    d. J'ai le cafard

13. Quand vous avez peur, vous pouvez dire… ?

    a. C'est formidable

    b. Je suis en colère

    c. C'est choquant

    d. J'ai le trac

14. Quelles sont les langues officielles du Canada ?

    a. le français et l'anglais

    b. l'anglais et les langues autochtones

    c. le français et les langues autochtones

    d. le canadien et le québécois

15. Si on veut dire qu'on va visiter la ville de Québec, on dit… ?

    a. je vais au Québec

    b. je vais à Québec

    c. je pars du Québec

    d. je pars de Québec

10-9. Culture : comparaisons

Le sport le plus populaire au Québec est le hockey sur glace. Quels autres sports y sont populaires ? Quel est le rapport entre les sports et la culture d'une région ou son environnement ? Quel est le sport national américain ? Y a-t-il un sport plus populaire dans votre région ? Comparez votre analyse des sports québécois, des sports américains et des sports de votre région.

10-10. Littérature : suite

Les Aurores montréales de Monique Proulx

Imaginez une suite à cette conversation entre Martine et Fabienne dans laquelle Martine pose beaucoup de questions sur des amis qui habitent Val-Bélair. Fabienne raconte ce que sa voisine bavarde lui a dit récemment de chaque personne. Imaginez un petit dialogue entre les deux personnages.

_____

_____

_____

_____

_____

_____

_____

_____

_____

_____

_____

_____

_____

_____

_____

_____

Answer Key

CHAPITRE 1

■ Activités orales :

1-1 1. d,   2. c,   3. b,   4. d,   5. d,   6. a,   7. a,   8. a

1-2 1. a,   2. d,   3. b,   4. b,   5. a,   6. c,   7. b,   8. a

1-3 Il y a beaucoup de pays intéressants dans le monde, mais je préfère visiter les pays francophones. Quand je peux, j'achète un billet d'avion, je fais mes valises, et je m'en vais. J'adore voyager en avion ! Cette année, je vais au Québec pour le Festival d'hiver.

■ Activités écrites :

1-4 1. b,   2. b,   3. d,   4. a,   5. c,   6. c,   7. c,   8. d,   9. c,   10. b,   11. d,   12. b.

1-5 un, la, l', le/un, de, le, une, de, la, un/l', une/la, des/les, une/la, une, un, un, les, des, de, une, une, le.

1-6 Il n'est pas encore au bureau. Il n'est plus chez lui. Il n'est jamais en retard. Personne n'attend son arrivée. Ils n'ont rien à faire ailleurs. Ils ne vont pas arriver bientôt. Je n'ai ni les documents ni les affiches.

1-7 1. T'habilles-tu souvent en costume ?   2. Tu travailles dans un bar, n'est-ce pas ?   3. Est-ce qu'on porte un costume quand on travaille dans un bar ?   4. Tu me dis la vérité ?   5. N'aimes-tu pas les romans policiers ?   6. La littérature française ne t'intéresse pas ?   7. Est-ce que les Français sont tous si malins ?   8. Me suis-tu partout où je vais ?   9. Ne veux-tu pas le manuscrit de Laclos ?

1-8 (a) pensez, manger, fait, aller, peux/montrer, Détestez/danser, emmener, Rester/coûte, adore/dormir, levons.   **(b)** habite, travaille, prenons, regardons, arrive, arrivent, vendons, parle, envoie, nous réunissons, mangeons, recommençons, finissent, continue, réussit, achètent, offrons, espère, adore.   **(c)** m'entends, préfère, s'appelle, enseigne, se rend, nous promenons, nous parlons, nous détendons, préparons, écoutons, me couche, me lave, me brosse, me repose. **(d)** se lève, préférons, descendons, nageons, nous reposons, te rappelles, jouent, finis.

1-9 vas, veux/peux, veux, es, veux, ai, veux, as, est, fais, suis, veux, peut, sont.

1-10 1. b,   2. a,   3. c,   4. c,   5. c,   6. a,   7. b,   8. b,   9. d,   10. d,   11. d,   12. b,   13. a,   14. b, 15. b.

1-11 *Answers will vary.*

1-12 *Answers will vary.*

CHAPITRE 2

■ Activités orales :

2-1 1. b, 2. b, 3. b, 4. a, 5. a, 6. b.

2-2 (*Answers may vary slightly.*) 1. Où sont les toilettes, s'il vous plaît ? 2. Pourriez-vous nous apporter du pain ? 3. Quels sont les ingrédients dans l'étouffée ? 4. Est-ce que nous pourrions avoir une carafe d'eau ? 5. Comment le poulet est-il préparé ? 6. Qu'avez-vous comme desserts ce soir ? 7. Est-ce que nous pourrions avoir l'addition, s'il vous plaît ? 8. Est-ce que le service est compris ?

2-3 1. avertissement, 2. encouragement, 3. avertissement, 4. encouragement,
5. encouragement.

2-4 Il y a un an, je suis allé à Paris avec ma femme. Nous avions décidé de ne pas visiter Paris comme tous les autres touristes. Nous cherchions une expérience plus authentique. Alors, le jour où nous sommes arrivés, nous avons trouvé une bonne boulangerie et nous avons demandé au boulanger de nous apprendre son métier. Le lendemain, nous avons commencé notre travail à la boulangerie. C'était génial. Nous nous sommes bien amusés à faire du pain pendant une semaine entière !

■ Activités écrites :

2-5 *Answers will vary.*

2-6 une, une, une, les, des, du, du, une, une, du, une, de la, du, de la.

2-7 (*Answers may vary slightly.*) Comment s'appelait-elle ? Où est-ce qu'elle habite ? À quelle heure est-elle arrivée ? Pourquoi est-elle venue ici ? Qui est Laclos ? Qu'est-ce qu'il a écrit ? Comment a-t-elle trouvé ton nom ? De quoi avez-vous parlé ?

2-8 **(a)** 1. Nous avons pris l'avion à Port-au-Prince. 2. Tes cousins sont venus nous chercher à l'aéroport. 3. Tu as apporté beaucoup de cadeaux pour les enfants. 4. Philippe n'a pas aimé les vêtements. 5. Je me suis endormi(e) très tôt la première nuit. 6. Vous avez bu et parlé jusqu'à deux heures du matin. 7. Le lendemain, les enfants et moi, nous nous sommes levés de bonne heure. 8. Les enfants sont sortis avant de manger. 9. Je les ai accompagnés au parc. 10. Tout le monde s'est amusé à raconter des histoires. **(b)** 1. Il faisait très chaud. 2. Mes cousins étaient très accueillants. 3. Nous voulions connaître nos parents. 4. Ma cousine Sachielle ne travaillait pas à cette époque. 5. Elle avait trois enfants à la maison. 6. Le plus jeune n'allait pas encore à l'école. 7. Les enfants s'intéressaient à la culture américaine. 8. Ils écoutaient de la musique américaine tout le temps. 9. Nous parlions souvent de la Louisiane. 10. Tu voulais rester encore une semaine. **(c)** *Answers will vary.*

2-9 crois, doit, crois, reçoit, vois, croyez, voyez, croient, bois, buvons, devons, dois.

2-10 1. d, 2. a, 3. b, 4. b, 5. c, 6. d, 7. b, 8. b, 9. a, 10. d, 11. d, 12. d, 13. c, 14. c,
15. a.

2-11 *Answers will vary.*

2-12 *Answers will vary.*

CHAPITRE 3

■ Activités orales :

3-1 1. une bague de fiançailles   2. des jupes et des gilets   3. des imperméables et des parapluies   4. un nouvel ordinateur   5. des bottes   6. du dentifrice, du shampooing et un savon   7. un appareil-photo et une pellicule   8. un chapeau et des lunettes de soleil

3-2 1. Vous cherchez des boutons.   2. Vous cherchez un foulard.   3. Vous cherchez un collier.   4. Vous cherchez un chapeau.   5. Vous cherchez des gants.   6. Vous cherchez un grille-pain.

3-3 Benoît est assez grand et musclé avec de larges épaules. Il a des cheveux noirs et frisés, des sourcils épais et des yeux marron. Avec son menton carré, il ressemble à un acteur. Florence est très différente. C'est quelqu'un qui est petite et mince avec un visage rond, un nez pointu et des lèvres minces aussi. Elle a les doigts longs et délicats d'une pianiste. Ses cheveux roux sont courts et raides et elle a de très beaux yeux verts.

3-4 1. Ne t'en fais pas !   2. Tu as eu tort !   3. Il est trop tard pour vous excuser !   4. Ce n'est pas si grave que ça !   5. Je te pardonne.   6. Vous n'avez pas honte !

■ Activités écrites :

3-5 *Answers will vary.*

3-6 1. Voici la jolie nouvelle maison de mes grand-parents.   2. Devinez qui est l'homme dans la prochaine photo.   3. C'est l'ancien propriétaire de la maison.   4. Il adore cette petite voiture française.   5. Ce sont de gentilles femmes généreuses.   6. C'est une grande ville urbaine.   7. On y trouve beaucoup de jeunes gens optimistes qui veulent améliorer leur vie.   8. Voici une vieille église catholique construite pendant l'occupation française.   9. C'est une photo de belles montagnes rocheuses que j'ai vues de l'avion.   10. … je suis content d'être dans ma propre petite maison…

3-7 tes, les siennes, mon, le mien, vos, les tiennes, son, le vôtre, notre, la nôtre, leurs, les leurs.

3-8 attendant, parlant, prenant, s'habillant, écoutant, finissant, se disputant, promettant, faisant, nous souvenant.

3-9 Après être arrivé à la livraison des bagages enregistrés, j'ai trouvé ma valise. Après avoir trouvé ma valise, je suis allé aux toilettes. Après être allé aux toilettes, j'ai vu un homme qui fouillait une valise verte. Après avoir vu l'homme, j'ai réfléchi à la situation. Après avoir réfléchi, j'ai décidé d'avertir les policiers. Après avoir décidé de les avertir, je leur ai fourni un témoignage. Après avoir fourni mon témoignage, je suis parti de l'aéroport en métro. Après être parti en métro, je me suis endormi. Après m'être endormi, j'a raté la station de correspondance. Après avoir raté la station, je suis sorti du métro. Après être sorti du métro, j'ai pris un taxi à la maison.

3-10 l'ai décrite, faisait, était, n'avait pas, lisait, adorait, est devenue, avez demandé, est allée, a frôlé, s'est excusée, n'a pas compris, voulait, s'est rendue compte, n'était plus, n'a pas pu, tenait, a passé, n'a pas trouvé, n'a pas changé, est restée.

3-11 tiens, permet, promettent, admets, partent, part, tenons, sortons, mettons, sortent, permettent, permettent, promets.

3-12 une, de, des, une, les, un, la, le, un, les, des, du, les.

3-13 1. c,   2. c,   3. d,   4. a,   5. a,   6. b,   7. c,   8. d,   9. b,   10. c,   11. c,   12. b,   13. d,   14. b, 15. b.

3-14 *Answers will vary.*

3-15 *Answers will vary.*

CHAPITRE 4

■ Activités orales :

4-1 1. beau, fiable, sérieux 2. ambitieux, créateur, impulsif 3. sociables, bavardes, chaleureuses 4. ouverte, consciencieuse, sincère 5. énergiques, insupportables, impatients 6. nerveuse, réservée, aimable.

4-2 1. a, 2. a, 3. a, 4. b, 5. a, 6. a.

4-3 Je me souviens bien du jour où tu es né. Nous vivions encore en Algérie dans un petit appartement près de la mer. C'était l'époque où ton père travaillait au port et on connaissait toutes les familles du quartier. L'après-midi, j'allais souvent bavarder chez des voisines. Autrefois, les femmes se rendaient visite sans prendre rendez-vous. Dans le temps, l'hospitalité était plus importante que le travail. C'était toujours comme ça ! Le jour de ta naissance, j'avais passé l'après-midi chez ma voisine. Quand ton père est revenu du port le soir, tu étais déjà né !

■ Activités écrites :

4-4 1. son neveu 2. sa belle-sœur 3. ses nièces 4. sa filleule 5. sa belle-fille 6. ses petits-enfants 7. sa belle-mère 8. son beau-père.

4-5 (a) Ces, cette, cet, ce, cette, ces, ce, ces **(b)** celle, celle, celui, celles, ceux, celui, celui, celle.

4-6 (a) 1. Quelle boulangerie préférez-vous ? 2. Quel magasin fréquentez-vous le plus souvent ? 3. Quel café aimez-vous le mieux ? 4. Quels jardins préférez-vous ? 5. Quelles pâtisseries aimez-vous acheter pour vos petits-enfants ? 6. Quel musée trouvez-vous le plus intéressant ? **(b)** 1. Laquelle préférez-vous ? 2. Lequel préférez-vous ? 3. Lequel préférez-vous ? 4. Lequel préférez-vous ? 5. Lesquelles préférez-vous ? 6. Lequel préférez-vous ?

4-7 (a) 1. avais parlé 2. s'était arrêté 3. n'avaient pas acheté 4. n'étaient pas venus 5. n'avaient pas été 6. j'avais averti **(b)** je suis arrivé, j'ai ouvert, j'ai rangé, Il faisait, tout allait, achetaient, ont commencé, j'avais remarqué, était, m'ont interpellé, je me suis souvenu, étaient venus, avaient discuté, sont revenus, je me suis rappelé, avait été, j'ai répondu, sont partis, j'ai eu, j'ai téléphoné, es parti, a dit, ont rendu, je me suis inquiété.

4-8 (a) suit, conduit, suivent, conduisent, conduit, fuit, suivent, s'enfuit **(b)** connais, sais, savez, savent, connaissent, connais, sais, connais, sais.

4-9 1. Lesquels sont les miens, ceux-ci ou ceux-là ? 2. Lequel est le sien, celui-ci ou celui-là ? 3. Lesquelles sont les siennes, celles-ci ou celles-là ? 4. Lequel est le nôtre, celui-ci ou celui-là ? 5. Lesquels sont les vôtres, ceux-ci ou ceux-là ? 6. Laquelle est la leur, celle-ci ou celle-là ?

4-10 1. a, 2. d, 3. d, 4. c, 5. c, 6. b, 7. a, 8. b, 9. c, 10. b, 11. a, 12. d, 13. c, 14. c, 15. b.

4-11 *Answers will vary.*

4-12 *Answers will vary.*

CHAPITRE 5

■ Activités orales :

5-1 1. les sports   2. les affaires   3. la politique   4. la météo   5. la culture   6. le crime.

5-2 1. a,   2. a,   3. a,   4. a,   5. a,   6. b.

5-3 C'est l'automne à Paris. Il fait frais et le ciel est couvert. Hier, il y avait un ciel nuageux avec une température maximale de treize degrés. Aujourd'hui, nous allons avoir quelques averses suivies d'un temps de brume. Il est conseillé de faire attention sur les routes. Demain, attendez-vous à une journée presque estivale avec beaucoup de soleil et une température maximale de vingt-cinq degrés.

5-4 1. une bonne nouvelle,   2. une mauvaise nouvelle,   3. une mauvaise nouvelle,   4. une bonne nouvelle,   5. une mauvaise nouvelle,   6. une bonne nouvelle.

5-5 1. une opinion,   2. un conseil,   3. un conseil,   4. une opinion,   5. un conseil,   6. une opinion.

■ Activités écrites :

5-6 *Answers will vary.*

5-7 1. Les Brésiliens jouent bien cette année.   2. La bourse rebondit rapidement.   3. Les chefs d'état se réunissent fréquemment en Europe.   4. Le président de la République participe activement aux affaires européennes.   5. Cet acteur joue exceptionnellement bien le rôle d'Harpagon. 6. On a brièvement parlé de son talent dans le journal.   7. Un ouragan a violemment frappé la Martinique.   8. Personne n'a été sérieusement blessé.   9. Evidemment, les cambrioleurs du magasin étaient soûls.   10. On a discrètement interpellé plusieurs témoins.

5-8 1. Un forfait de Paris à Phnom-Penh au Cambodge en Asie du sud-est coûte 798 euros. 2. Un vol de Zurich en Suisse à Toronto en Ontario au Canada coûte 435 euros.   3. Une croisière de Bordeaux en France à Pointe-à-Pitre, à Guadeloupe, aux Antilles, coute 990 euros.   4. Un billet de train de Bruxelles en Belgique à Marseille en Provence en France coûte 185 euros.   5. Un vol de Luxembourg au Luxembourg à Tunis en Tunisie en Afrique coûte 320 euros.

5-9 **(a)** sachent, vouliez, soit, n'ayez pas voyagé, soit, réfléchissiez, fassiez, vienne, donne **(b)** va, hésites, payions, n'ayons pas, dise, allions, veux, trouve, préparions, habitions, nous reposions, serve, nettoie   **(c)** *Answers will vary.*

5-10 lisent, décrit, sourit, écrit, lit, rit, rit, dit, décrit, disent.

5-11 nous nous sommes rencontrés, ai décidé, c'était, fêtaient, faisait, avait, se promenait, faisait, on l'avait mis, avaient débarqué, suis allée, sont passés, a vu, buvais, a cru, s'est assis, a commencé, c'était, ai souri, me suis présentée.

5-12 1. d,   2. b,   3. b,   4. d,   5. b,   6. c,   7. d,   8. a,   9. c,   10. a,   11. c,   12. b,   13. b,   14. c, 15. a.

5-13 *Answers will vary.*

5-14 *Answers will vary.*

INTERLUDE

■ Activités orales :

I-1 *Answers will vary.*
I-2 *Answers will vary.*

■ Activités écrites :

I-3 *answers may vary slightly.* 1. Qu'est-ce que c'est qu'un «fais do-do» ? Une soirée musicale louisianaise. 2. Quelle est la profession de Zachary Richard ? Qu'est-ce qu'il fait ? Il est chanteur. 3. Quels sont les ingrédients d'une étouffée ? Qu'est-ce qui est dans une étouffée ? Des oignons, des poivrons, des épices, des crevettes. 4. Quelles langues sont parlées à Haïti ? Le kreyòl et le français. 5. Quand s'est passé la Révolution haïtienne ? De 1792 à 1804. 6. Combien d'arrondissements y a-t-il à Paris ? 20 arrondissements. 7. Qu'est-ce qu'on peut acheter dans un grand magasin ? Des vêtements, des parfums, des appareils électroménagers. 8. Pourquoi Diên Biên Phu est-elle une bataille importante ? Elle a mis fin à la guerre française en Indochine. 9. Où est le Maghreb ? En Afrique du nord. 10. Quels sont les cinq piliers de la religion islamique ? La profession de foi, le don d'argent, le jeûne, les prières, le voyage à la Mecque. 11. Comment est l'œuvre d'Assia Djebar ? Elle écrit des textes féministes sur le Maghreb. 12. Qu'est-ce que c'est que les DOM-TOM ? Ce sont les départements et territoires d'outre-mer de la France. 13. En quelle année a-t-on fondé l'Union européenne ? En 1957. 14. Comment s'appelle le château de Louis XIV ? Le palais de Versailles. 15. Quelle était la profession de Molière ? Il était acteur et écrivain.

I-4 *Answers will vary.*

I-5 (a) *Answers may vary slightly.* 1. François Fontenot et sa famille ont quitté Saint-Domingue et se sont installés à la Nouvelle-Orléans, où il a reçu un manuscrit de son ami Laclos. Il y a ouvert un restaurant créole et il est mort en 1822. Avant 1792, Fontenot avait déjà étudié en France où il avait rencontré Laclos. 2. Henri Pierre Fontenot est allé à Paris où il a rencontré le bouquiniste Lionel Gustave. Il y est allé parce qu'il était soldat dans l'armée américaine et c'était la Seconde Guerre mondiale. 3. En 1973, il a vendu les livres de François Fontenot à Lionel Gustave parce que son père est mort d'une crise cardiaque et il pensait que les livres étaient maudits. 4. En 2002, Claire est allée à Paris parce qu'elle voulait faire de la recherche à la Bibliothèque nationale. Elle avait déjà commencé son doctorat à l'université de Sainte-Foy et elle avait déjà lu un article sur l'existence d'un manuscrit inédit de Laclos. 5. En 2003, Claire a visité les États-Unis, la France et la Martinique parce qu'elle y cherchait le manuscrit de Laclos. 6. À Paris, Claire a vu Jean-Louis Royer, Lionel Gustave et Nicolas Gustave. Elle avait déjà rencontré Jean-Louis avant d'arriver à Paris. **(b)** *Answers will vary.* **(c)** *Answers will vary.*

I-6 *Answers will vary.*

CHAPITRE 6

■ Activités orales :

6-1 1. poli : la loi est déjà assez stricte   2. poli : il y a trop de voitures en ville   3. impoli : la pollution des avions est pire   4. impoli : le maire est son beau-père.

6-2 1. a,   2. a,   3. b,   4. a,   5. b,   6. b.

6-3 C'est dommage que tu ne sois pas venu dîner pour fêter l'anniversaire de ta mère. Elle était si heureuse que tu aies téléphoné, mais je ne vais pas te mentir, ton père n'était pas du tout content. Mais, ne t'inquiètes pas ! Tu n'as rien à craindre ! Je me suis chargée de l'affaire et j'ai expliqué à ton père pourquoi ton travail est plus important pour toi que ta famille. Alors, ne t'en fais pas ! Tu verras, ça va s'arranger.

■ Activités écrites :

6-4 1. une guerre   2. une élection   3. un droit   4. la souveraineté   5. un parti politique   6. une loi.

6-5 (a)   1. Il faut que tu les y achètes.   2. Tu en achèteras un kilo.   3. Tu pourrais lui en parler. 4. C'est Monsieur Pogue qui la leur a apportée l'année dernière.   5. Il y est allé afin de le fêter. 6. Tu y seras.   7. Tu y iras et tu les lui donneras.   8. Tu y iras et tu les leur enverras.   **(b)** 1. Je ne l'ai pas vue.   2. Je les y ai laissés.   3. Ils y étaient toujours.   4. J'y en ai trouvé.   5. Je l'ai remercié de les y avoir transportés.   6. Il ne m'en a pas parlé.   7. Je les y ai mises.   8. Je ne les y ai pas revus.   **(c)** 1. Vas-y !   2. Organisons-le !   3. Invitons-les-y !   4. Servez-leur-en !   5. Ne nous en parle pas !

6-6 Elle, Lui, moi, Toi, Vous, nous, elles, eux, elle, moi.

6-7 sera, aura déjà gagné, n'aurons plus, élirons, se développera, sera, verrez, ira, aurai déjà fait, aurai déjà reçu, se hâtera, habiterai, serai, reviendrai, aurai, facilitera, ne prendrai pas

6-8 *Answers may vary slightly.*   se sent, dormez, me sens, dors, ressens, mens, mens, sens

6-9 t'intéresses, soit, veuilles, confondes, puisse, restons.

6-10 1. c,   2. b,   3. c,   4. c,   5. d,   6. a,   7. a,   8. c,   9. d,   10. b,   11. b,   12. d,   13. c,   14. c, 15. b.

6-11 *Answers will vary.*

6-12 *Answers will vary.*

CHAPITRE 7

■ Activités orales :

7-1 1. sa maison est trop petite/réaction compréhensive 2. sa journée à la plage était un échec/réaction compréhensive 3. elle ne dort pas à cause des hyènes/réaction sans compassion 4. elle n'aime pas la couleur de son nouveau canapé/réaction compréhensive.

7-2 1. une plainte, 2. des reproches, 3. des reproches, 4. des reproches, 5. une plainte, 6. des reproches.

7-3 Il est dommage que tu ne sois pas venu à Dakar avec nous cette année. Cela aurait été bien si tu avais pu venir avec ta femme et tes enfants. J'aurais voulu vous montrer la plage où j'ai passé tant de beaux jours quand j'étais petite. Tu aurais aimé y jouer avec les enfants et ils auraient pu rencontrer leurs petits cousins. Enfin, peut-être viendrez-vous l'année prochaine ? Tu sais combien vous nous manquez.

■ Activités écrites :

7-4 *Answers will vary.*

7-5 *Answers will vary.*

7-6 **(a)** serions restés, aurais voulu, aurais aimé, voudrions, ne pourrait pas, serait, s'amuseraient, aurait **(b)** *Answers will vary.*

7-7 *Answers will vary.*

7-8 *Answers may vary significantly.* 1. Je resterais en ville parce qu'on y peut faire du shopping. 2. J'y en aurais une. Elle serait à New York. 3. Je leur en parlerais. Je leur parlerais de l'importance du football américain. 4. Je leur en enverrais à Noël. Je leur enverrais des masques en bois. 5. J'aimerais y voyager de temps en temps. Les pays qui m'intéressent sont le Bénin et le Cameroun. 6. Je l'y aurais apporté afin de réviser le vocabulaire.

7-9 1. b, 2. d, 3. c, 4. d, 5. a, 6. c, 7. a, 8. a, 9. c, 10. d, 11. b, 12. d, 13. d, 14. c, 15. c.

7-10 *Answers will vary.*

7-11 *Answers will vary.*

CHAPITRE 8

■ Activités orales :

8-1 1. favorable   2. non-favorable   3. non-favorable   4. favorable   5. favorable   6. favorable.

8-2 1. Loin de là, celle de Rodin est moins bien tournée que celle-ci.   2. Contrairement à ce que vous pensez, Van Gogh a moins d'imagination que ce peintre.   3. Malgré ce que vous dites, je trouve que l'impressionnisme est beaucoup plus intéressant que le surréalisme.   4. Ai-je bien entendu ? Celle de Monet est bien moins touchante que celle de Lemieux.   5. Mais vous plaisantez ! Les musées américains sont plus intéressants que les musées européens.

8-3 Ce pays est le pays le plus diversifié qui soit ! Il y a tant de choses à faire et à voir. Si j'avais plus d'argent, je resterais ici encore un mois. Je ne vois pas pourquoi les Européens critiquent les Américains. C'est pure conjecture, mais je pense que c'est à cause de la taille du pays. Il se peut que les Européens soient incommodés par les distances à franchir. Enfin, quand je retournerai à Genève, je vous montrerai toutes mes belles photos. À bientôt !

■ Activités écrites :

8-4 *Answers will vary.*

8-5 1. Les fromages suisses sont meilleurs que les fromages américains.   2. Les femmes suisses s'habillent moins bien que les femmes américaines.   3. Le ski aux Alpes est plus amusant que le ski aux Montagnes Rocheuses.   4. Le lac Léman est moins pittoresque que les Grands Lacs.   5. Les maisons suisses sont plus vieilles que les maisons américaines.

8-6 1. Les Alpes sont les plus belles montagnes du monde.   2. Le Lac Léman a les plages les plus paisibles.   3. Les auteurs suisses écrivent les livres les plus touchants.   4. Genève est la ville la plus propre du monde.   5. Les banques suisses sont les banques les mieux protégés du monde.

8-7 **(a)** resterions, aurions décidé, serait, j'avais su, serait, iriez, louerais, traverserais, apprendriez, n'aurions pas pu   **(b)** *Answers will vary.*

8-8 peignent, peint, dépeint, feint, dépeint, atteint.

8-9 1. soit   2. j'aie jamais vue   3. puisse   4. ait jamais inventé   5. ayons jamais eue.

8-10 1. b,   2. c,   3. c,   4. c,   5. a,   6. b,   7. d,   8. a,   9. c,   10. a,   11. c,   12. d,   13. d,   14. d, 15. b.

8-11 *Answers will vary.*

8-12 *Answers will vary.*

CHAPITRE 9

▪ Activités orales :

9-1 1. accentué   2. diminué   3. diminué   4. diminué   5. diminué   6. accentué.

9-2 Ce que je vais vous annoncer ne sera pas une surprise pour tous ceux qui ont contribué à notre campagne américaine. Ne paniquez pas ! Attendez que je m'explique. Vous allez comprendre pourquoi je vous écris avant la fin de la campagne. Ce que nous avions l'intention de faire c'était d'introduire nos produits au public américain et d'attirer une trentaine de clients. Grâce à vous, nous en avons déjà une cinquantaine ! La nouvelle dépasse toutes nos attentes et j'ai donc voulu vous remercier tous de votre travail.

9-3 1. Je lui présenterai mes excuses. Pas moyen de faire autrement.   2. J'enverrai une lettre demain. Soyez sans crainte, je le ferai.   3. Dès aujourd'hui, je ne ferai plus d'erreur. Vous pouvez compter sur moi.   4. Je travaillerai plus. Je ferai tout ce que je dois faire.   5. Je serai à l'heure chaque matin. Je vous donne ma parole.

▪ Activités écrites :

9-4 *Answers will vary.*

9-5 (a) *Answers may vary slightly.*   1. J'ai fait une liste de produits dont les clients ont besoin. 2. Nous jouissons d'une réputation aux États-Unis qui est bonne.   3. J'ai un ordinateur sur lequel je travaille cinq heures par jour.   4. Je fais de la recherche sur nos compétiteurs qui sont nombreux.   5. Il y a plusieurs nouveaux produits que nous devons étudier.   6. J'aime bien travailler chez moi où il n'y a pas de distractions.   7. J'ai parlé à des clients qui voudraient renouveler leurs commandes.   8. L'équipe avec laquelle je travaille le plus souvent est l'équipe du marketing.   **(b)** *Answers may vary slightly.*   1. C'est la personne qui est le chef de l'entreprise.   2. C'est une machine qui envoie et reçoit des images.   3. C'est le lieu où on achète et vend des actions. 4. Ce sont des documents qu'on a reproduit en copies.   5. C'est une organisation qui existe pour aider des gens, pas pour faire de l'argent.   6. C'est une compagnie qui donne accès à l'internet.

9-6 1. Le stagiaire a classé les documents.   2. Dix grands magasins américains vendent nos produits.   3. L'équipe du marketing a publié les publicités dans les journaux.   4. Nos clients poseront beaucoup de questions.   5. On devrait offrir des rabais intéressants aux clients fidèles.

9-7 devez, deviez, doit, devez, avez dû, doit.

9-8 1. partirai   2. promettrai   3. donnait   4. n'aurais pas été   5. choisirais.

9-9 1. a,   2. d,   3. b,   4. b,   5. a (c'est une ville),   6. c,   7. c,   8. d,   9. d,   10. b,   11. c,   12. a, 13. c,   14. d,   15. d.

9-10 *Answers will vary.*

9-11 *Answers will vary.*

CHAPITRE 10

■ Activités orales :

10-1 1. la tristesse   2. la peur   3. le choc   4. le bonheur   5. la colère   6. le choc   7. la tristesse   8. la peur.

10-2 Enfin, je te dis que ça va mieux maintenant. Au début, j'étais hors de moi. Puis, c'était la déprime totale. Ensuite, je me suis mise en colère. Maintenant, je suis résignée. En fin de compte, cela va peut-être me donner l'occasion de me trouver. La vie continue ! Et voilà ! J'ai tout dit !

■ Activités écrites :

10-3 *Answers may vary significantly.*   1. le ski, la planche de neige, le toboggan, la raquette de neige   2. la natation, le kayak, le ski nautique, le surfing   3. baseball, foot, basket   4. mal à la tête, une fièvre, la fatigue, des courbatures   5. un sirop et des vitamines, des béquilles et du plâtre.

10-4 1. Quelques-uns sont blessés.   2. Tous s'attendent à un bon match.   3. Respecter les règles est la responsabilité de chacun.   4. J'irais à n'importe laquelle.   5. Toutes mènent aux pistes de ski.   6. Je veux voir chacun.   7. Il est évident que plusieurs ont voté contre les patineuses américaines.   8. Je connais quelques-unes qui sont ici.

10-5 1. de regarder les menus   2. qu'il faut essayer un plat québécois   3. si vous prendriez du vin   4. qu'ils nous offraient une bouteille   5. que l'équipe canadienne avait fait un bon effort aujourd'hui   6. qu'elle préférerait assister aux jeux d'été   7. qu'ils y iraient un jour   8. que l'équipe canadienne était la meilleure.

10-6 *Answers may vary slightly.*   1. Jacques Cartier est un explorateur qui est né en 1491 et qui est mort en 1557.   2. Samuel de Champlain est un colonisateur qui est venu au monde en 1567 et qui est décédé en 1635.   3. Marie de l'Incarnation est une religieuse qui est arrivée au monde en 1599 et qui a expiré en 1672.

10-7 *Answers may vary significantly.*   1. C'est un lieu où on fait de la natation.   2. C'est une bicyclette qu'on utilise sur les terrains naturels.   3. C'est un lieu où on regarde les matchs de foot.   4. Ce sont des chaussures qu'on utilise afin de glisser sur la glace.   5. Ce sont des bâtons sur lesquels on appuie pour marcher si on a la jambe cassée ou la cheville fouillée.   6. C'est un chapeau que portent les joueurs de baseball.

10-8 1. a,   2. b,   3. d,   4. c,   5. b,   6. d,   7. b,   8. b,   9. b,   10. d,   11. c,   12. d,   13. d,   14. a,   15. b.

10-9 *Answers will vary.*

10-10 *Answers will vary.*